集英社文庫

鳥が教えてくれた空

三宮麻由子

鳥が教えてくれた空　目次

はじめに

「深い癒《いや》し」という言葉を最初にしみじみと感じたのは、野鳥と出会ったときだったと思う。もちろんそれまでだって、多くのことに癒されてはいた。ピアノはもの心つく前から弾いていて、いまだに大切な生活の一部となっている。悲しいときも嬉しいときも、ピアノはいつも私の側《そば》になければならないものだった。また、読書や語学も、ストレスをずいぶん取り除いてくれた。

けれども野鳥たちは、それまで知識としてしか頭に浮かばなかった大自然というものを、肌で感じさせてくれたのだ。そして私は、そのなかで生かされていることの偉大さに、はじめて心から感動した。その意味で彼らは、都会育ちで室内にこもることの多かった私の世界観を、見事にひっくり返してくれたのだ。

彼らは私の心を解きほぐし、それまでほとんど抜け落ちていた、大自然の生きものたちとともに生かされているという世界観を、しっかり植えつけてくれた。そしてなにより、自然のフィールドでマナーを守ることから始まって、観察会で学んだ成果を人に伝え、自然や野鳥の保護活動に加わることなど、神が造りたもうたと言われる生態系には無力な私にも、与え、参加できる場面がたくさんあることを、教えてくれたのだ。

この本は、そうした私の発見を綴《つづ》ったものである。最初の章は、偉大な発見をくれた野鳥に捧げる讃歌としてまとめた。次の章は、野鳥を通して発見したことや、印象深い出来事をまとめたものとなった。

ところで、ここで一つだけ記しておきたいことがある。

本書では、私特有の事情や環境など、個別の現象を超えた人間の授かりものに焦点を合わせるよう心がけたつもりである。だから、「こういうことならみんなにある」と思われてしまう結果で終わる場合が多いかもしれない。けれど、じつは私がその結果を得たこと、その結果に至る過程をたどれたこと自体が、いちばん大事な事実なのである。

というのも、私は四歳のときに、一日にして失明したからだ。ウイルスによる炎症で眼圧が上がり、それを下げる手術をしたときだったと聞かされている。一年間の入院は、幼児にとって果てしなく長かっただろうが、私にはそのときの記憶がほとんどない。とにかく、この日を境に私は生まれ変わることを余儀なくされた。

最初は、見えなくなったことを理解できなくて、あるいは理解したくなくて、見えていたころと同じ勢いで走り回り、生傷《なまきず》が絶えなかったという。

そしてこのトラウマが、小学校いっぱい続いた。方向感覚はゼロに等しく、落ち着きがなくて忘れ物の常習犯だった。手先も不器用で、工作はおろか身辺整理も最悪に下手《へた》。給食はほとんど受け付けない虚弱体質なうえ、ちょっとしたことでパニックを起こして泣きわめく。外に飛び出しては遊具にぶつかり、洋服まで血染めにして戻ってくる。唯一集中して臨んだのは、お稽古事のピアノと英語だった。つまり常識から見れば、ひたすらどうしようもない子どもだったのである。

中学に入ると、そうしたトラウマの物理的な面はしだいに薄らいでいった。けれど、今度は、見えない現実を伴う、人生という恐ろしい難問にぶち当たってしまった。生来楽天的でやたらに前に前にと進む性格の私は、この難問を直視しなくても、努力すれば克服できると思い込み、このころからがむしゃらに遊び、勉強し、ピアノを叩くようになっていった。

しかし、どんなに頑張って進学や就職の夢を実現しても、心の奥深いところに「目が見えないという現実」が厳然としてあり、パンドラの箱を隠した「開かずの間」がずっと残っていた。そして、その開かずの間を開くカギをくれたのが、野鳥たちだったのである。

そんなわけで、単に健常な人と同じ結果にたどり着くこと、それ自体が私には喜びであり、実績であり、自信となったのだ。だからこの本では、野鳥への讃歌の次に、私の経験のスタート地点である「ポワン」（Point フランス語で点の意味）から「モンド」（Monde 世界）への広がりをモチーフに書いてみたい、と思った。こうした経験が、皆様にあるかどうかではなく、私のような状態の人間が、そこに行き着いた過程を描いたつもりである。

神様の箸休め

スズメの出勤

鳥といってまず思い浮かぶのは、いちばん近くにいるスズメではないだろうか。考えてみると、けっこうスズメとは長いつき合いになる。私はもの心がつくとすぐ、目覚めと同時に耳を澄ませ、スズメの声で時間の見当をつけるようになった。時間なら時計を見ればいいのだが、私にはそれができなかった。でも、スズメの声を聞けば、寝ぼけ眼《まなこ》でも時刻がわかるのだ。小学校二年生のころには、午前五時台から八時台までの時間を、声の大きさや鳴き方で判断できるようになっていた。

五時台には、スズメもだいぶ寝ぼけ気味なのか、「チュン、チュン」と小さめの声でまばらに鳴き合っている。六時過ぎにかけて、その声が突然にぎやかになり、「ジクジクジク」「チーユン、チョン、チーエム」などいろいろと変化がつく。「起きてるかい」「起きてるよ」というような、一種の喧噪《けんそう》に聞こえてくるのである。ついでだが、このころになるとシジュウカラやオナガなど、二番手の声も高まってくる。

そして七時を過ぎると、声はにわかに落ち着きを取り戻し、宴のあとの雑談よろしく、そこここに散っていく。八時には、彼らも餌を求めて「ご出勤」の時間になるのだろうか。通りがかりのスズメが「チュン」と鳴きながらバタバタと飛んでいく音ぐらいになり、外はかなり静かになっていく。

もちろんこれは、鳥たちの塒《ねぐら》の場所や餌台があるかどうかによっても違うらしい。現在では夏場の五時台に先頭を切るのはシジュウカラになっている。季節的な違いもあって、冬場には、この鳴き時間が一時間以上ずれてくるのだ。

もう少し大きくなると、私はたくさんのスズメが来ている日は天気がよく、近くであまり声がしない日は、曇りか雨だということも知った。当時の日記にも、「明日天気がよいといい。鳥が嬉しそうに鳴くから」などと、あたかも鳥の気持ちをわかったような文章が何度も出てくる。あのころ、私はなにを考えてスズメの声を聞いていたのだろうか。

いま思い返してみると、これは、私が自然界という存在を意識した最初の出来事だったのではないだろうか。スズメたちは、学校やお稽古の往復に忙殺されていた私に、この世界には人間ばかりが棲《す》んでいるのではないということや、手の届かない彼方《かなた》には空という「天気のもと」があるということを、早くから教えてくれていたのである。

だが、スズメが私にとって特別大事な鳥なのだと身に染みて感じるのは、高校一年でアメリカ・ユタ州に留学したときまで待たなければならなかった。

塩水のグレートソルト湖畔にホームステイしたので、聞こえる鳥はカモメ類くらい。町といっても、高い木の少ない、荒涼とした景色のなかに家が点在するようなところで、いわゆる鳴禽類《めいきんるい》というか、さえずりを上げる小鳥がほとんど棲んでいなかったらしい。もちろんスズメのスの字もないのだ。

ホストファミリーに「このへんにはどんな鳥がいるの？」と尋ねてみても、「カモメかな」と気のない返事が返ってくるばかり。まだ特別、鳥に関心があったわけでもないのに、私はなぜか、もの足りない思いだった。

さて、目覚めた時間は時計でわかるとしても、室内から天気がわからないのにはかなり困った。日本にいたときは、スズメの声で服装を決めたりしたものだが、ユタではそうはいかない。二重窓なので、雨の音すら聞こえない始末だ。仕方なく朝一番に窓を開けて天気を見ることにした。それなりに名案だと思ったのだが、窓に花が飾ってあるのを知らずにカーテンを引いてしまい、ホストシスターに大目玉を食らったこともあった。

さらに、事の顚末《てんまつ》はお粗末なもので、厳しい冬が近づいたら家族総出で家に目張りをし、窓が開かなくなってしまった。鳥の助けが望めない私は、けっきょく、人間様に毎日天気を尋ねるはめになったのである。

ヨーロッパに旅行したときも、にぎやかなスズメの声で朝が来ないことに、少し幻滅した覚えがある。とくにローマでは、石造りの建物が多い都会のせいか、鳥の声がまったくと言っていいくらい聞こえなかった。ユタと違って塩水湖があるわけでもないのに、と私は不気味な気持ちにさえなった。だから、カラカラ浴場の廃墟に一羽だけ細い声で鳴いていた小鳥が、妙に印象に残っている。

それに引き換え、シンガポールの朝はにぎやかそのもので、さすがにアジアの朝と思わせる活気があった。チョウさながらに鮮やかな羽をひらめかせて、細い声の鳥が飛び回るかと思えば、いつもわが家で親しんでいるソウシチョウ（相思鳥）、俗に言う中国産ウグイスが愛らしい歌を弾ませる。そのうえ町場にまで、幾種類もの熱帯鳥が優雅に舞っているのである。「あのチョウみたいな鳥がスズメの代わりなのだろう」と思えば、日本と同じスズメの声が聞こえないシンガポールの朝もさびしくなかったものだ。

もう一つスズメが教えてくれるのは、景色である。

六、七年前に探鳥を始めてから、私はスズメがよくとまる電線や屋根の高さを覚え、スズメの声を聞きながら町並の見当をつけられるようになった。

たとえば、スズメが鳴く屋根がたくさんあれば、ここは住宅密集地で、目の前から家並が広がり、その手前に電線が張りめぐらしてあるだろうと思った。不思議なことに、こうして想像しながら聞いていると、殺伐とした都心にいても、スズメが鳴けば世の中安泰という気分になってくる。鳥が鳴く場所は、空気も水も信頼できるからだろうか。

スズメはまた、光センサーとしても、さまざまなことを教えてくれる。というのは、どうも夜が完全に明けてからやってくるようなのだ。スズメが飛べる明るさになると、カラスやムクドリ、ヒヨドリのような大きめの鳥だけでなく、シジュウカラやカワラヒワ、ツバメ、ウグイスといった小鳥類もほとんど飛んでくることができるらしい。

だから、スズメが鳴いている間は、最大の明るさが保たれた状態とわかるのだ。そしてスズメたちが塒に去ってしまう時刻に、夜の帳《とばり》がおり始め、ムクドリやヒヨドリが帰ると、すっかり闇に包まれるわけだ。

このサイクルを記録していくと、何時に夜が明け、いつ日没となったかが、かなり正確にわかる。つまりスズメの声を注意深く聞けば、光を直接見なくても、日の長さの移り変わりを知ることができるのである。最近は、単に景色や天気を教えてもらうだけでなく、鳥自身の気持ちや状態を感じることにも興味が湧いてきた。

たとえば餌を見つけたとき、スズメは小刻みなけたたましい声で「ジュクジュクジュク……」と長く繰り返し、仲間を呼ぶ。呼ばれてきた仲間たちは、「ピユ、ユン、チチュ、チリッ」とさまざまな声をたてながら餌をつつき出す。餌から餌へ飛び移る羽音も勢いよい。側でじっと聞いていても、慣れたスズメは逃げようともせず、餌の上に座り込んで休んでいる。

ところで少し脱線するけれど、スズメの声といえば、川村多実二氏は、著書『鳥の歌の科学』(中央公論社/自然選書)のなかで、さまざまなスズメの声をかな綴りにしている。少し書き出してみよう。

チーラム　チョチ　チョン　チー　ツイーン　チョチ　チーラム　チョン　チョチ　ツイーン　チーラム　チョチ　ツイーン　チーラム　ツイーン

脱線ついでに、人と厳しい一線を引くスズメたちのなかにも時たま、わりあい人なつこいものがいる。そういうスズメに出会うと、「ヒユ」と鳴く声に応《こた》えて「ヒヨ」と何度か返事を続けるうちに、鳥のほうから返事をすることがある。

私などが「チュン」とか「ピユ」とか口まねしただけで応えてくれるのだから、川村氏や、日本野鳥の会の創始者、中西悟堂《ごどう》氏の『定本野鳥記　第二巻　野鳥のすみか』(春秋社)のなかに登場する古老、高田兵太郎さんのような鳥寄せ名人がひと声発したら、どんなにか楽しかっただろう。

また中西氏の『定本野鳥記　第三巻　鳥を語る』には、俗に「スズメのいや鳴き」という独特の鳴き方が紹介されている。これは、下のほうをネコやヘビが通ったときなどに出す声で、「チに力をこめてすこし声をひっぱるチーエ、チーエか、短く切迫したチエチエ」なのだそうだ。単なる警戒音とも違う声で、言われてみると、たしかにそんな声に聞き覚えがあった。

この件《くだり》を読んだ数日後、近所の野良ネコが甘ったれた声で鳴きながらわが家のほうへ歩み寄ってきた。

すると、ネコとは家を隔てた側にいたスズメが、いや鳴きを始めたのである。たしかに、いかにも汚い、いやな声だ。スズメ特有の、澄んだ切れ味のある声とは程遠い、低く濁って、いくつもの不協音素を含んでいるように聞こえる。「チエン、チエン」の繰り返しの合間に、「チェクチェクチェク」とかなり強い声を持続させる。これが、五分も続いた。ネコの声はもうしなかったが、おそらくまだ近くをうろついていたのだろう。

中西氏は、このいや鳴きを聞くだけでネコの通過を知り、研究用に飼育していた室内の籠鳥に気を配ってやれたと書いているが、足音をたてないネコの存在を教える声を知ったことは、目の見えない私にも嬉しかった。手に触れたり耳で確かめることのできない事態を、一つでも把握できることになるのだから。

スズメを恋しがるのは私だけではないようだ。数年前に飼っていたカナリアが、ひっきりなしにスズメのまねをしていた。「ユン、ユン」という一本調子の口まねで、最初はだまされてもすぐに聞き分けられるのだが、不思議にこれをやるとスズメが集まってきた。カナリアはひどくさびしがり屋で、私が側で「チイ」とつぶやくと、何回でも「チイ」という地鳴きを返してくる鳥だ。誰もいないときは、さびしくてスズメを呼び寄せては気をまぎらわせていたのかもしれない。

と、そんなふうに話していると、スズメが鳥籠の側に来るのは、カナリアが餌をたくさんこぼすからではないかと、至極もっともな反論が返ってきたことがある。スズメのほうだってなにかと忙しいし、カナリアが下手《へた》な鳴きまねをしたぐらいで、暇つぶしに遊びに来るわけがない、というのだ。そんなこともたしかにあろう。けれど、スズメを呼ぶのはカナリアだけでないことが、私の素人推理を応援してくれる。

わが家のソウシチョウも、またカナリアに負けないさびしがり屋だ。人気《ひとけ》が切れると、すぐ仲間に歌いかけ、返事がないとスズメを呼び始める。とくに雌鳥が大声で「チョイチョイチョイチョイ」と数回繰り返すと、かならずスズメが数羽飛んでくる。雌の鳴き方は、人間でもたまらない哀愁を感じる音色なので、もしかすると、スズメたちもたまらずに吸い寄せられてくるのだろうか。

七月ごろは、巣立ち直後の子スズメが群れに交じっていて、籠から乗り出している雌のソウシチョウに甘えたり、産毛《うぶげ》の残る愛らしい羽を震《ふる》わせて餌をねだったりする。

ソウシチョウはカナリアと違い、ほとんど餌を飛ばさないので、餌だけを目当てに飛んできても、あまり収穫がない。とすれば、やっぱりスズメは、さびしいソウシチョウたちを慰めに、ちょいと立ち寄ってくれているときもあるのではないだろうか。

かなり思い込みの激しい話かもしれない。だが、こんな行動を見るにつけても、スズメ恋しやという気持ちは、けっこうみんながもっていて、スズメも、どこかでそれを見ているような気がしてしまうのだ。

近所じゅうが寝静まっている早朝。遠くに聞こえ始めたスズメの合唱がだんだん近づいてきて、突然アンコールを求める観衆の大喝采《だいかっさい》のように、細かな「チュン」が無数に折り重なりながら目の前に現れる。

住宅地にいても、まるで山頂のような静けさだ。

スズメたちとともに、空がだんだん近づいてくる。この瞬間が、私はたまらなく好きである。

＊

鳥は、「神様の箸休め」だと思う。小さかったり弱かったり、またワシやタカのように空の王者と言われても、生態系の頂点の微妙な場所にいる繊細な生きものだ。でも野鳥がいなければ、地球の生活はどんなに無味乾燥なことだろう。

野鳥は、愛を育《はぐく》むために歌を授けられ、歌うために生まれ、神にいちばん近い天の高みに上がることを許された唯一の生きものだ。そして、天地創造の営《いとな》みのなかで造られたという地球を、持ち前の羽で、何度となく往復することも許されている。

そんな鳥たちとつき合うようになり、耳と手で触れる、いわば二次元の世界しか知らなかった私が、三次元の立体世界に飛び込むことができた。そして彼らを通して、さまざまな自然のメッセージを理解するようになったのである。

最大の「覚醒《かくせい》」の一つに、空を感じたことがある。

私にとって空は、うわさで聞いた未知のもので、本当に存在するのか確かめようもない相手だった。ところが、鳥たちのメッセージを傍らで聞かせてもらうことで、その空が本当にあることを確かめられたのだ。しかも野鳥の声は、その空がいまどんな様子なのかをも、つぶさに物語ってくれたのである。

さらに私は、箸休めたちとつき合ううちに、「私も箸休めではないかしら」と思い始めた。たしかに私は社会の小さきもの、偉人でもなければ有名でもない。でも、そんな小さな存在がまったくなくて、世界に偉大な人たちばかりがいたとしたら……。

それに、私は箸休めという言葉を、けっして、軽い存在として使っているのではない。たしかに質量としては小さなものかもしれないけれど、メインディッシュの傍らに置かれた付け合わせや小鉢は、思いのほか手が込んでいて、食事のときにはけっこう楽しみではないだろうか。そういえば、自分が食事をするときも、メインディッシュはあらかじめわかって選ぶけれど、じつはこうした箸休めになにが出されるのか、いつも楽しみである。

自分自身にそんなところがあるので、神様が箸休めに手を尽くして創造された

（と思う）野鳥たちには、なんとも言えない親近感が湧いてしまうのだ。

ずいぶん勝手な話だが、そんなわけで私は、これからも野鳥たちの声に耳を澄ませていくのだろう。ともあれ、まずは私の大好きな野山に、皆様をご案内しようと思う。

天女の化身サンコウチョウ

サンコウチョウ（三光鳥）は、スズメ目ヒタキ科の中型鳥で、鳥好きには少なからず憧れの的《まと》だ。尾羽までの全長は四十センチぐらい。雌雄ともに「ツキ、ヒ、ホシ（月、日、星）、ホイホイホイ」と聞きなせる美しい歌を歌うので、江戸時代から「サンコウ（三光）チョウ」と呼ばれてきたという。

川村多実二氏は『鳥の歌の科学』（前出）で、この鳥のさえずりを「ギューギュ　フィーチー　ホイ　ホイ」と綴り、「サンコウチョウ（三光鳥）の雄は体が紺栗色、頭と喉と尾が黒く、腹が白く、嘴《くちばし》と脚が青灰色、眼の周囲に青白い環（メジロのように）がある。何よりも見やすい特徴は尾羽の中央二本が二〇センチも伸びて後ろに垂れている優美な形で……」と説明している。

もう少し付け加えると、「この尾は生殖羽で、冬、抜け、春、生える。巣の中から雄の尾が柄杓《ひしやく》の柄のようにはみ出している様は美しい」（山本健吉編『最新俳句歳時記　夏』文藝春秋）。

その神秘の鳥が、数年前の六月、群馬県の赤城山に旅行して二日目の明け方、光とともに現れた。多くの鳥の声に交じって、突然あの不思議に明るい「ホイホイホイ」が聞こえてきたのだ。探鳥を始めてから一年半近く経っていたころで、鳥への興味と鳥の声に対する知識のバランスがとれてきた時期だった。

それに、その半年ほど前から私は、「声の探鳥日誌」なるものを毎日欠かさずつけるようになっていた。これは野鳥ファンの間で言う「フィールドノート」と理科の「観察日記」を一緒にしたようなメモだ。ポケットサイズの手帳に、通勤途中や探鳥先で聞いた鳥の声と大まかな数字、人から聞いた鳥たちの行動などを記録するのである。

もちろん、耳に届いた鳥の声を点字で書き留めるだけなので、データとはならないだろう。「この目で確かめた鳥以外は記録しない」という厳格なウオッチャーの先輩方には、はなはだお粗末な代物《しろもの》に見えるかもしれない。でも、もともとデータにしようなんて大それたことを考えているわけでもなく、またどんなに大きなスコープも役に立たない私には、この声の探鳥がたまらなく愉《たの》しくて、いまのところ一日も休まず続いている。『鳥の歌の科学』で、かな綴り法を覚えてからは、耳に残った声を書き留めたりもしている。

その赤城山で、私は午前三時から、ホテルの窓にマイクロホンと例の探鳥日誌を据えて待ちかまえていた。午前三時三十分、ホトトギスが一度さえずる。それきりしばらく沈黙が続いた。山の朝はかなり冷える。一度床に戻って暖をとり、午前四時前から、ふたたび新緑の匂いの流れ込む網戸の前に陣取っていると、はるか彼方から、「ホイホイ」という予想外の歌が聞こえてきたのだった。遠いながら、たしかに、「ホイホイホイ」なのだ。が、はっきりと確かめてはいても、まだ自信がない。しかし、まぎれもないサンコウチョウである。

と思っているうち、このかすかな声をかき消すようにヒヨドリがけたたましい声を上げてやってきた。三時五十五分だ。四時、メジロの高鳴きが、まるで焼きたてのパイのように薄い「チイ」を重ねて飛び出したと思ったら、シジュウカラ、スズメ、コゲラ、ハクセキレイなど十数種の鳥声がいっぺんに重なるように出現した。

かすかな声を頼りに、急いで少し上の杉林に登ると、なんとそこには、数羽のサンコウチョウが、「ホイホイホイ」を好きなだけ鳴き交わしていた。

暗い杉林の樹間を、いくつものサンコウチョウの声が交錯しながらゆっくりと舞う。まるでこの世の時間が止まってしまったかのようだった。

鳴き始めに、少しだけ「ギッ」という濁った音があり、次に「フィー」と透き通った節がくる。これが早口で複雑な第一節を作り、それから有名な「ホイホイホイ」になるのだが、最初が難しいだけに、この「ホイホイホイ」がとても引き立つのである。

ゆるゆると動き回るこの鳥の声を耳で追っていると、流れる彗星《すいせい》の尾のような尾羽を体と水平に張って、南方から長い旅を終えて飛来した鳥とは思えない優雅さを感じる。聞くほどに、荘厳な雰囲気さえ漂ってくるのだ。

サンコウチョウは、じつは天女たちが夜明けの一瞬だけ、小鳥に姿を変えて地上に遊びに来たものなのではないか、と私は思った。空からの日の出に飽きた天使や天女が、たまには下から太陽を見てみようと相談して、人間が目を覚ます前に地上に降りて、そっと紺栗色の衣をまとったのではないか。そして、夜が明けるのを樹の間から見上げながら、「明けたぞホイホイ、晴れたぞホイホイ」と互いに祝い合っているのだ。

「鳥は神様の大切な箸休め」と思うようになったのも、サンコウチョウと出会ったからかもしれない。小さくても、鳥は精神の休み所、手の込んだ天才的芸術作品なのだ。これほど神秘的なのだから、この鳥にパラダイス・フライキャッチャー（極楽鶲《ひたき》）という英名がついたのも、無理はない。

また、「月日星」と聞きなす歌にしても、これとまったく同じ聞きなしをもつ、アトリ科のイカルのほうがずっとはっきりと聞こえるのに、江戸の人びとがサンコウチョウにも、あえてこの言葉「月日星」を当てた気持ちがよくわかる。

この日私は、生まれてはじめて夜明けを自分の感覚で味わった。そして、自然のサイクルというものを教えられた。

それは人間が、時計という媒体を通して強引に法則化した時の流れではなく、日付も歴史も超えた大いなる動きだった。母なる大地が自転を繰り返すと、その動きが地上に乗っているすべての物質や生物に伝わり、光と命が鼓動する。そのプロセス自体が自然のサイクルとなって、時を作るのである。理論や法則で固められた時でないから、自然のサイクルには誤差というものがない。分も秒もなく、ただ円環的な時間がゆっくりと大地の自転によって引き出されるのである。そして同時にこの雄大なサイクルが、人間の作った時間によって汚染されつつあることに気づくとともに、環境破壊に深く心を痛めるようにもなった。

ところで、夜明けというものをこれほどに感じたのは、全盲の私が、夜明けの瞬間をほとんど認識していなかったからだった。たしかに都会育ちの私はもの心ついて以来、いつも人間のたてる音だけで時間を判断していた。家にいるときは牛乳配達のガラス瓶が躍《おど》る音で目覚めたり、近所の寺の鐘が鳴ったからいまは六時だ、などと思う。自然の音といえば、かろうじてスズメの声を頼りに朝を感じるくらいだった。

けれどそれは、寝ぼけ眼でも時間を知ろうとする、いわば生活の知恵めいたものだった。鳥への興味とか、さえずりという意識ではなく、風景音に近い聞き方だ。崇高な夜明けを味わうなどという風流な境地とは程遠かったのである。

海や山に行っても、朝はたいていホテルの廊下を忙しく行き来する人びとの足音とともに訪れた。そんな場所での楽しみといえば、おいしい空気を吸うことくらいだったように思う。つまり私の頭のなかには、すっかり明けきってしまったあとの朝しかなかったのである。

この時間になると、すでに誰もが活動を始めており、鳥も動物もひと仕事終えている。私はそんな時間を、早朝だと思い込んでいた。もちろんこれは、全盲であるからというだけでなく、都会生活しか知らなかったからという部分が大きい。私は夜明けを知らずに、大きくなってしまったわけだ。

とはいっても、光の存在をまったく知らなかったのでもない。四歳までは「見える」世界を知っていたから、光がどのようなものかも少しは覚えている。それに盲学校には感光機と呼ばれるものがあって、これを使えば、音の高低で明るさを探知できた。遠足先で、真っ昼間に鳴いているニワトリの声を聞いたときは、「朝鳴くはずのニワトリがこんな時間に鳴いているなんて、この鳥も目が悪いのかしら」などと、友だちと埒《らち》もないことを口走っていたくらいで、光を無視していたわけではなかった。

だが感光機で探知する光は、あくまで機械の音という媒介を通したもので、乳白色の夜明けの光が、直接脳裏に染み通る感覚とは違う。それでも光の探知ができることは、私たちにとって画期的な進歩だったので、私は長い間それ以上を望まず、しまいにはそれ以上の感覚の存在すら忘れていたのかもしれない。

それが、赤城山のサンコウチョウによって二十年以上の時を超え、光が突然脳裏に蘇り、夜明けの実感という形で現れたのだ。時計時間で見るとたった十分たらずの間に、十数種の鳥の声が順々に現れ、静寂が喜びの声の海に変わる。すべての生物が、この瞬間に活動を始めるのだ。空気は透き通り、人の匂いに染まる前の柔らかな光があたりに満ちている。

鳥たちの声は、その光に乗ってやってきたのだった。夜明けを見なれた人たちにとっては、山の朝だからきれいという程度の、ごく普通の光景だったかもしれない。だが私は、夜がこうして明けていくことにひたすら感動した。自然のサイクルが光を引っ張ってくること、天体の自転が生物の躍動を呼び覚ますことに、かぎりない美しさを覚えたのだ。その日は、私の「夜明け発見記念日」となった。

さてその後、都会でもう一つの夜明けを発見した。サンコウチョウこそいないけれど、都会にもまだスズメやシジュウカラなど、多くの種類の鳥がいる。

それで思い出したが、私が好きな落語の古今亭志《ここんていし》ん生《しょう》の時代から、都会の朝はにぎやかだったと見える。朝一番にカラスが「カカア、カカア」と鳴いては女房たちを起こし、餌となるごみを捨ててもらおうとがなりたて、長屋の内儀《おかみ》さんたちがなかなか起きないと、「アホ」とののしるという。

言われてみれば、いまもその光景は変わっていないのではないか。都会の夜明けにも、鳥たちは種類ごとにやってくる。たいがいは、ヒヨドリ、ムクドリ、スズメ、シジュウカラ、ハトや臆病なオナガといった調子で、その合間にメジロやウグイス、カワラヒワなどの小鳥が入る。

これを見ていると、どうも鳥の種類によって、活動できる明るさの限界が違うように思えてきた。単なる思いつきだが、大きめの鳥は少ない光でも動けるので、朝は早くから繰り出してくるし、夕方ずいぶん暗くなってもそのへんで遊んでいる。小鳥のほうはそうもいかず、早々《そうそう》に店じまいして塒を探しに行くのか、暗くなり始めたかと思う間もなくさっさといなくなってしまう。いわば「鳥時間」があるのだ。

都会にも、その鳥時間ともいうべきナチュラル・タイムがしっかり存在している。山の夜明けに感動して帰った私は、都会のナチュラル・タイムを再発見し、人間の住む環境とは無縁の、自然の夜明けを見つけたのだった。

こうして、サンコウチョウとの出会いから見いだしたいくつもの夜明けは、私にとって、時の新世界であり、感性に新しい息吹《いぶき》を呼び覚ます大切な瞬間となったのだった。

鳥の目、鳥の気持ち

「あ、切られている。駄目だ！　駄目だ！　これでは、とまれないじゃないか！」

生まれてはじめての探鳥会で、突然リーダーさんが怒り出した。毎年渡り鳥が塒にする大木の上部がばっさり切られており、その状態では、もはや塒にはならない、と言うのだ。「人にとってはただの枝払いでも、鳥にとっては死活問題なんです」と、ものすごい剣幕で私たちに訴えた。

鳥が木にとまれないこと、それが一つの種を形成するグループの生死にかかわる問題になる。

そのリーダーさんの剣幕は、まさに鳥となった人間の言葉だと思った。このときリーダーさんは、単に相手の立場に立つとか、鳥を哀れむといったなまやさしい気持ちでは語っていなかった。森を管理する必要上、伐採も時にはやむを得ないという現実を知っていても、あえて鳥の立場で話していた。

その剣幕は、みずから鳥となって、人間の近視眼的な乱開発や、刹那《せつな》的な満足ばかりを追って自然を破壊する傲慢さを厳しく戒める、毅然とした態度にあふれていたのである。そして私にとって、これが「鳥の視点」との最初の出会いとなった。

あれから数年、そこここで探鳥会に参加したり、機会を作って山野に飛び込んでは鳥声を追っている。いまでは、野外で識別した鳥は、百種類を超えている。しかし最初のうちは、あのリーダーさんの言葉を頭の隅におきながらも、聞き分けた鳥の種類が増えることばかりを楽しんでいた。

鳥声を聞き分けるうちに、私はそれらの声が立体的に伝えてくれる景色を把握し、その山の自然度をも理解するようになった。そしていつしか、鳥を聞く要領で植物のたてる音にも耳をそばだて始めた。

すると、笹原のうなりや芦原のざわめきが聞こえ、そこから湿原の広さを実感できるようになった。そればかりか、足元の草叢《くさむら》で鳴くクサヒバリやエンマコオロギを聞き分けては、「秋が十分の一くらい進んだ」などと自然の時間を感じるようにもなったのである。音から景色が見えるようになったのだ。

だが最近、もっと大きな変化に気づいた。それは、全盲という障害のために狭まっていた私の世界が、突然宇宙的な規模で開けたことだ。

たしかにこれまでにも私は、音楽の世界を見いだしたり、語学や文学を長期間学ぶなどしてさまざまな世界をかいま見てきた。しかし、そんなことで満足している場合ではなくなったのだ。音楽も本も言葉もすべて私のペースで動かせるもの、言い換えれば、それ自体は静止した対象物にすぎなかったのだ。だから、これらを学ぶことで精神は深まったが、自然のなかに組み込まれた生物としての私の生の実感という基本的な世界観が欠如していた。

野鳥を知ったとき、私はそうした静止物でなく、この瞬間にも動き、移り変わっている自然界に飛び込んだのだった。自分の手につかめる「入ってくる」世界から、宇宙の大きなペースで流れる世界に「入っていく」。それは世界観を完全に覆《くつがえ》す大事件となった。

ところで、この世界観が現実的に作用した出来事の一つに、俳句との出会いがある。

二十七歳のころ、ふとしたきっかけで俳句を始めた。最初は、なにもわからないまま思いつくことを十七文字に書きつけ、ただ面白がっていた。こんなことが趣味として長続きするとは思えなかった。ところが、毎日の探鳥日誌に季語を加えた「季語日記」をつけ始めると、複雑な心の動きを超越した、大きな事物の存在を感じるようになったのだ。

ひと言で言えば、それは生きた自然の語りかけであり、嬉しいとか美しい、悲しいなど、人間の主観から完全に独立した別の世界だった。季語の一つひとつは単語にすぎない。それなのに、俳句のなかにおかれた瞬間、自然のなかに取り込まれた謙虚な生物の目に映る大きな営みを語るようになるのだ。そしてそれらの言葉に触れるとき、私の心も宇宙をさまよう小さな星、天体に棲む小さな命としての素直な視点を取り戻し、事物の根源的な存在を感じることができるようになった。

野鳥の声が感性を開いたとすれば、季語との出会いは、それを裏づける哲学のような世界を開いたと言えるだろう。もちろん、作句は未熟そのもので、とても「俳句をやってます」などと言える段階ではないが、それでも自然の目、鳥の目になった句作りを夢見ている。

自然の目を意識したつもりの句には、

膨れ来る土に知らさる芽吹きかな

というのがある。鳥の目を感じた句としては、

空き家なる巣箱をのぞく雀の子

などを作ってみた。人間が巣作りに使ってほしいとかけた巣箱も、スズメには不思議な洞窟くらいにしか映らないらしく、巣を作るどころか巣箱の入り口にとまってなかをのぞいている。鳥にすれば、そんな人工物にたやすく巣をかけられるものではない、といったところかもしれない。

ここで思い浮かぶのが、都会でしたたかに生きる、知恵ある鳥たちだ。東京のど真ん中で、曲がったハンガーや針金などの巣材を使い、立派な建築をやってのけるハシブトガラスの話は有名だ。

この鳥は、とくによく学習するらしく、公園の掃除で巣を撤去した管理者の顔を覚え、彼らにだけ嘴《くちばし》攻撃を加えたりするという。危害を加えたとカラスがみなした人間の頭に、見事なカーブで空き缶をぶつけるのもいるらしい。それこそ漫画に描きたいようなスグレものが多いのだ。

スズメも負けていない。私たちが楽しみに餌台を出すと、どこで見ているのか、二日ほどの間にスズメが群がるようになる。「この家は餌を出すぞ。でも、どうも気まぐれなんだよな。出すならちゃんと、毎日出してくれないと、ぼくたちの餌探しの計画が狂ってしまうんだ」とおしゃべりしているようだ。

また、日光で出会ったアカハラは、車道から数メートルしか入っていない茶屋の脇の木の上で、彼の真下に立つ私を見下ろしながら、十分も「キョロン、キョロン、チリリ」と歌っていた。私にはありがたい探鳥となったが、アカハラ君にすれば、「ここは俺の縄張りなんだからね。帰っておくれよ」と言った気分だったことだろう。

こんな光景を見ると、多くの人が自然保護に奔走してくださることに感謝する一方、鳥たちの優れた学習能力と好奇心を開発して、なんとか、したたかに生きてもらう方法を模索できないかなどと思う。人が鳥と対等の立場となって、彼らに有用な情報を伝えられたら素晴らしいと思うのだ。

私は見えないという境遇を愁える暇はなく、とにかく闘い、辛抱し、楽しみを見つけながら生きていかなければならない。同様に鳥たちも、自然破壊に泣いてばかりいては明日に命をつなげない。だから私は、同じ「小さきもの」として鳥たちの能力を生かすことに関心をもたずにいられない。

自然発見の作用がもう一つある。それは、自然のなかの自分に対する意識の覚醒が、見えないという境遇を一つの生きものの姿として、素直に受け入れる助けとなったことだ。

たとえば道を歩いていると、子どもたちが「あ、白い杖。見えないんだ」と言い合っていく。手を引いてくださる方も、「偉いね、かわいそうね」といった言葉を口にすることが多い。かりに相手が家族であろうと他人であろうと、私はつねに「見えない人」であることを意識しないわけにはいかない。

だが、自然と相対するときには、そうした境遇の制限から解放される。鳥たちは、杖を持った私を見ても、「見えない」というカテゴリーに分けたりはしない。むしろ「人間だ」と言って、逃げたり見に来たりする。見えないものたちの上にも日光は強く照るし、雨や雪も降り注ぐ。暑い日も寒い日も、盲人のためになくなることはないし、盲人が通るからといって、その日だけ山道に誘導用の点字ブロックが生えたりはしない。

けれど渓流の音は誰にも心地よく響き、万緑の匂いは誰の肺をも満たす。自然はすべての人に平等に振る舞う。だから自然に飛び込むとき、私はある意味で神の前に立ったような安堵感を得るのだ。

するとと不思議なことに、日常生活のなかでたえず感じなければならない、惨めな気持ちや悲しさ、見えればなんでもなくできるのに、といった苛立《いらだ》ちなどを超越し、見えないという呪縛《じゅばく》から解放された精神を取り戻すことができるのである。

その意味で、自然は私の存在を許してくれる大切な世界であり、人間を理性の罠から解き放つ貴重な力だと思う。昔の人たちが自然を神と崇《あが》めた理由も、こんなところにあるのかもしれない。

つねづね面白いと思うのだが、探鳥会に行って自然や鳥を相手にしていると、健常者の心も解放されるらしい。探鳥会では、誰でも気ままに話し合うことが多いが、私に対してもちゃんと言葉がかけられる。都会にいると、どうやって話しかけたらよいかわからないために、かなりの人が横目で私たちを見ながら黙って通りすぎていく。探鳥会では、多くの人が白杖《はくじょう》に違和感をもつことなく、会話を楽しんでくれる。これも偉大なる自然の業《わざ》のような気がする。

そういえば、学生のころ、ひと月ほどかけて北海道を旅行したときも、漁師さんやペンションの人たちがなんと自然に声をかけ、援助の手を差し伸べてくれたことか。楽しい思い出である。

いま、とても興味をもっているのは「鳥寄せ」だ。中西悟堂氏の『定本野鳥記第二巻　野鳥のすみか』には、氏がキビタキを口笛で呼び寄せて会話を楽しむ様子が、つぶさに記されている。昔は、鳥と会話できる人が少なくなかったようだ。もし現代人の私にも鳥と話すことが許されるなら、彼らとの対話を通して自然を考え直したい。そして、すべての生物の心を解放する豊かな天体を取り戻すために、私にできることはなにかを想像する。

その意味で、鳥は、私を自然界に誘う「盲導鳥」だ。できれば都会でも、私の肩にとまって、「チュン」とか「チリリ」とか言いながら、信号や障害物を教えてくれたらいいのに、とはいささか虫がよすぎるだろうか。ともあれ私は、いままでに発見した新しい世界観の次に、鳥たちがなにを教えてくれるのか、注意深く聞いていたいと思っている。

感性の夜明け

私は、鳥の声で景色が見えるようになったと前に書いた。しかし、そうなるためには聴覚にかぎらず、すべての五感が一挙に花開く必要があった。つまり、盲人だから耳がよいといった単純な原理でなく、触覚を含めた事物の把握という能力が欠かせないのだ。鳥に出会うというきっかけは必要だったにしても、それによって五感が景色をキャッチできるまでに発達するには、一段一段と階段を上っていかなければならなかった。

私は眼圧を下げる手術により、四歳で全盲になった。文字どおり一日にして光を失ったのだ。一年近い入院の間、数回の手術が施されたが視力は回復しなかった。

本当なら、このときの記憶は私にとってもっとも恐ろしく、強い印象を残しているはずなのに、なぜかこの一年のことはほとんどなにも覚えていない。心理学でなんと言うかわからないが、とにかく一種のトラウマを経験したのだろう。

母は、「毎日下着を替えようとすると、手術をされると思うのか、泣いて泣いて触らせなかった」と話してくれた。医師はもう少し手術を試みたいと言ったそうだ。だが両親は、検査の注射や麻酔でかさぶただらけになり、首からの点滴まで受けるようになった幼児を、これ以上パイプベッドにおくことに耐えかねた。そして、「このままでは命までとられてしまいかねない。命よりは盲目を」と考えて、家に連れ帰ったという。こうして私は、盲児として生まれ変わったのだった。

見えなくなった当初、私は「どうしてテレビが映らないの?」とか、「どうして電気がつかないの?」などと、繰り返し尋ねていたそうだ。また、「トマトは赤いよね」とか、「キュウリは緑でしょ」などと、飽きることなく物の色を確認しては、父母を悲しませたという。自分の境遇が理解できなかったのか、あるいは幼心《おさなごころ》にそれを拒否しようとしたのか、いまでは知る由もない。ともかく私は、退院後数カ月で、当時の東京教育大学(現・筑波大学)付属盲学校の幼稚部に入園した。

幼稚園が終わると、近所の晴眼児童と毎日外で遊んでいた。それは、先生に見守られての遊びが多かった幼稚園に比べ、自由で楽しくスリリングだったが、同時に容赦ない彼らのペースに追いつけなくて苦労することも少なくなかった。

ある日の夕方、「ダルマさんがころんだをやろう」と言われた。ところが私は、はじめての遊びで、ルールを知らない。友だちは自分の遊びに夢中で、私が妙なことをやっていても、気をまわして遊び方を教えたりはしない。私は、「ダルマさんがころんだ」と鬼が言ったとたん、とっさにダルマさんになったつもりで、道にゴロリと横になった。ころんだのである。

誰もなにも言わなかった。私はこれで自分の推測が当たり、正しくゲームに参加していると思い込んだまま、鬼が「ダルマさんがころんだ」を繰り返すたびにひと回りずつ寝返って、道をころがっていった。そしてゲームは、私の奇妙な行動を気にも留めず、どんどん進んでいった。

だがこの日は、たまたまその有様を窓から見ていた母が、あわてて出てきて遊びのルールを私に教えたので、なんとか一生の恥だけは免れたのである。

いちばん嫌いな遊びは「かくれんぼう」だった。

友だちは皆、私が鬼になると、そのへんの壁に寄りかかって黙っている。私は隠れそうな場所を手探りに探すが、たいていは見つからない。だがよく聞いていると壁のほうから小さな息遣いがするので、すばやくそこに行き着く。すると、友だちは勢いよく壁を蹴って、その場を逃げ出してしまうのだ。彼らにしてみれば見えないのだから、逃げれば見つからないという計算なのだろうが、私のほうは足音が聞こえるのですぐに逃げていることがわかる。

そこで必死で追いかけ、相手の洋服をつかむと力いっぱい引っ張る。「逃げるなんてずるいじゃない」と言うと、子どもたちは意地悪く「逃げてないよ」と言うのだった。

もう一つ嫌いなのが、「ごっこ遊び」だった。いちばんよくやった遊びで、うまくいっているときはこれ以上素敵な遊びはないのだが、いったん互いの波長が合わなくなると矛先《ほこさき》はいつも私に向けられた。とくに何人かの女の子は、自分の気に入らない運びになり始めると、すぐにだんまり状態になった。なにを言っても返事をしない。

私は機嫌を直してもらおうと、「じゃ、どうすることにする？」などと聞いてみたりするのだが、彼女たちは近くの壁に寄りかかったきり声もたてなくなる。いないふりを決め込むのだ。

最初はよくだまされて、「いないの？　どこ？」などと心配した。壁を撫《な》で回したり、空を手で探って彼女たちを探そうと必死になったものだ。ところが彼女たちは、壁に寄りかかって足音を忍ばせながら、ズルズルとずれていく。さすがにこの音はよく聞こえた。こうして彼女たちはごっこ遊びに飽きると、私の心配そうな手探りを楽しみたくなって黙るらしいのだ。そこで、だんまりが始まると、私もさっさと家に引き揚げることにした。

喧嘩もあった。男の子たちともかなり対等にやり合ったし、腕力ではかなわなくても口では絶対に負けなかった。もっとも男の子はすぐに手を出すので、泣かされるのは、たいてい私だった。とはいっても、そこは多人数のクラスで揉まれている晴眼児童のこと、とくに近所のガキ大将として幅をきかせていた同い年の子はずいぶん加減してくれていたことだろう。

少し喧嘩慣れしてくると、私は「喧嘩ソング」というのを作った。

喧嘩が始まりそうになると、「けっこう毛だらけ、猫灰だらけ。あなたと私は泥だらけ、大事な玩具《おもちゃ》を貸さないよ。ブザーをブウブウって押さないで」とはやした。するとそれまで目をむいて怒っていた子どもたちが、「いまの、もう一回言って」と歌を聞きたがった。いい気になって一節ずつ教える。そのうちに本題の喧嘩はどうでもよくなり、喧嘩ソングをみんなで大合唱して、めでたしめでたしとなる。私のほうも泣かされずに、無事一日を終えることになるのだった。

ガキ大将といえば、こんなこともあった。

ある日、彼が用事で出かけていた。私は彼の妹を含めた数人の友だちと遊ぶことになった。玩具となったのは、その数日前に彼が買ってもらっていたヘリウム入りの風船だった。手を離すと、空に上がっていくあれである。

この風船を持ち出してきた妹から受け取った私は、ご推察のとおり遠い空に風船を預けてしまった。ふとしたはずみだった。一瞬しんとなってから、一人が「麻由ちゃんがやった！」と叫んだ。それを皮切りに、みんなが「知ぃらないよ、知らないよ。怒られちゃっても知らないよ」とはやし始めた。それまでたしかに手のなかにあった細い糸は、風船に連れられてずっと遠いところへ、音もなく行ってしまった。

私は恐ろしい気持ちで、彼が帰ってくるはずの夕方を迎えた。夕刻、彼は風船のことを聞くと、私の服を引っ張って広場に連れていき、背中を押しながら広場じゅう小突き回した。だが、それだけで終わった。石を投げられるか、頭をぶたれるかと思っていたわりには、やや拍子抜けするくらいの罰で、謝り続ける私を許してくれたのだった。たしかに彼は恐ろしいガキ大将ではあったが、同時に優しい友だちでもあった。だから私は彼らと遊ぶのが好きだったし、彼らもけっして私を仲間はずれにしなかった。

けれど、近所の子とはそれなりに遊べても、盲学校ではかなり奥手だった。というのは、周りの友だちは早くから盲児として必要な初歩の生活訓練を受けていたからだ。たとえば、まっすぐ歩くには、建物の壁や室内の机を手で触ること。ほかにも、音を聞いて周囲の状況を判断することや、物を落としたら手で地面を触って探すことなどなど。言われてみれば当たり前だが、ついこの間まで星空や虹を見上げていた私にとって、そんなことは未知の世界だった。見える時期を経験できた分、盲児としては相当に遅れたスタートを切ったわけである。

物を上手に触ることは、私のいちばんの苦手だった。どこの学校でもやる朝顔の観察日記でも、双葉が出たとか、茎が伸びたとか、教えられてようやく納得する程度で、たいして楽しいとも思わなかった。ましてや自分の感じたことを書いてみましょう、などと言われると、たいへん困ったものだ。触るのが下手だったのだから、当然、事物の因果関係を把握するのも大の苦手となった。

なかでもひどかったのが、スイカの一件だ。私は大きな丸いスイカを触らせられた。そのときはたしかに、これがスイカだと理解できたのだが、いざ、ひと口大に切られた甘いスイカを出されてみると、それがさっきの大玉だとはどうしても考えられず、そのうちに口に入る切り身のほうだけを、スイカだと思い込んでしまったらしいのである。

ある日、学校で大玉を見せられたとき、私は「生のスイカは生まれてはじめて」と言ったそうだ。折しも授業参観日のことで、それまでに何回も実物を触らせていた母はずいぶんがっかりしたという。

けれど、子どものほうから言わせてもらえば、私は大玉を切る、というプロセスを経ていない。この部分なくして、生のスイカと切り身が同じものだと悟れと言うほうが無理なのだ。もちろん親から見れば、それほど触るのが下手な子どもに、庖丁で切るなどさせられるものではなかっただろう。

まだ、ある。

母が縁日で買った金魚を私に触らせながら夕食の料理をしていたところ、どうも私が妙におとなしくなったという。どうしたのかと見に来てみると、金魚のうろこをすべて剝ぎ取り、大事に握っていたという。「なにしてるの」と聞かれて、私は「ヌルヌルしていたから、きれいに洗ってあげて、これからお風呂に入れてくるの」と嬉しそうに答えたそうである。ぬめりと、うろこの区別もつかなかったわけだ。金魚にはつくづく申し訳ないことをしたと思っている。

触るのが下手という悲しい特技は、理科や家庭科、社会科の地図や技術、図工と、いつも私を苦しめた。さらにこのことは、注意深く歩いたり振る舞ったりするという意識の欠如にもつながったらしい。私は見えたころと同じ勢いで駆け回ったり跳びはねたりしては、しょっちゅう怪我をしていた。

そんなふうだから、晴眼の友だちと手をつないで走っていても、見えないことを忘れられてしまう。あるときは自分の前にある柱を避けてもらえずにまともに衝突し、顔じゅう血だらけで帰ってくる。かと思うと、室内ではふすまに突っ込んで見事にぶち抜いては「スーパーマン」と冷やかされたりもした。学校では牛乳瓶や花瓶を割るし、ブランコから落ちて髪の毛まで鼻血を飛ばすし、とにかく生傷《なまきず》の絶えない子どもだった。

それでも私は別に困らなかったし、触らねばならないという束縛のために、自分の元気を奪われたくもなかった。どこかで触ることを拒否していたのかもしれない。だがその一方で、一つだけ育ち始めた感覚があった。それが音を聞くこと、聞き分けることだった。失明直後から、私は家にあったピアノを叩いて遊び始め、それを見ていた母は、すぐにピアノのレッスンに連れていってくれた。私は他の遊びにはさして夢中にならなかったが、どういうわけかピアノだけは真剣に練習したらしい。

この小さな一歩から、後にはフランス文学に導かれ、会社員として働く現在まで、細々ながらもピアノを弾き続けることとなったのである。

こうして私は、とくにある規則や旋律をもった音に敏感になっていった。そして小学校低学年のころには、音感の芽生え始めた耳をスズメの鳴き声にも適用し、彼らの鳴き方で時間の見当をつけていた。

不思議なもので、さまざまな音を聞き分けながら事物とつき合ううちに、いつしか音のメカニズムを理解し始めた。そしてさらに、そのメカニズムを、触って確かめるという楽しさに変えていった。

小学校高学年のころには、さすがの私も触るための基本的なこつを身につけていた。「植物を触るときは、両手で下から上へ静かに触る」とか、「化学反応のあとには、固体や液体などの物質の状態だけでなく、冷たいか温かいかにも注意を払う」といった教えだ。

やがて、私は触って得た知識を応用し始めた。人に説明してもらった山や谷の景色を、見えたころのおぼろげな記憶と重ね合わせて頭のなかで再現できるようになったのだ。音で立体的に景色をつかんだ第一歩である。

それから二十数年、二十七、八歳になったとき、私は長野県の野尻湖で五感が劇的な合体を遂げるという経験をした。

耳がさえずりをとらえるのと同時に、鼻には山の夜明けにあふれる瑞々《みずみず》しい息吹と、それを呼吸する樹木の涼やかな香りが飛び込んでくる。舌には、冷たく甘い山の空気が、まるで天のアイスクリームのように染み込んできた。かじかんだ両手は、空のなかに指を入れたような感触に満たされていた。

「ここは、空のはずれなのだ」

さえずりも、空気の匂いも、風の味も、両手に伝わってくる空の感触も、それまではただ一つひとつの情報でしかなかった。それがこの朝、空のはずれにたたずむ私のなかで、一つの景色として形となったのだった。そして、さえずりの向こうには、わからないうちに私の命を育んでくれた生命の連鎖が、まるでパノラマのように果てしなく広がっているのだった。そこには、自然の気があった。

その年の秋、私は東京郊外の高尾山で、鳴く虫の女王と言われるカンタンの鑑賞会に参加し、また一つ、新しい出会いを経験したのである。

この日、寺の本堂で話を聞かせてくれたのは、カンタンを育てて数十年という経歴の持ち主だった。この人は、「虫の身になって」を座右の銘として、カンタンがどんな植物のどの部分を好むかに始まり、どんな虫籠、どんなベッドならうまく繁殖するのか、卵の生育方法は、声の質はどうかなど、さまざまな角度からこの虫とつき合っていた。

この人の話を聞くうちに、私はそれまで自分が、小鳥や動物のような個体単位の命にしか目を向けていなかったことに気づかされた。たとえば一羽の小鳥はたいてい何年かは生きるので、こうした命とつき合う私たちも、一つの個体の生死をめぐって喜んだり悲しんだりする。

ところが虫は、一年ごとに一つの世代が生まれては消えて種を残す。だから虫とつき合う場合、一世代が死ぬことを愁える気持ちは起こらない。むしろ、親が死ぬと同時に卵が生まれるので、次の命への希望が芽生える。言ってみれば、一匹の虫を見るとき、私たちはその卵が翌年に新たな命を形作るという、一連の、再生の営みを見るのだ。

探鳥会というなじみの言葉のほかに、「探虫会」という言葉があると知ったのも、この席であった。それ以来私は毎日、聞いた鳥の名前だけを書き留めていた「探鳥日誌」に、鳴く虫の声も書き込むようになった。

こうして、景色としてではなく、命の集大成としての自然と正対すると、今度は植物のたてる小さな音の数々が耳に飛び込んできた。たとえば十一月の日光を歩いていると、広大な湿原には笹原がうなるように揺れ、水面から地表までの厚みが感じられる。シラカバ林はあくまで静まりかえり、鵜の毛で突いたほども音がない。九月の福島では、あとからあとから落ちる枯れ葉の重く乾いた音が一面に散らばるのを聞いた。紅葉の音である。

そしてなによりも素晴らしかったのは、はるかな笹原が波打つ音で、自分の体に当たる前に風の存在を察知したこと。さらに、その音の強さや方向を聞き分けることで、空を流れているであろう雲の動きを感じられたことだった。

そのとき私は、地上から空を聞いた。

野尻湖での五感の開眼、そして高尾山の探虫会に参加したころから、野鳥との出会いは、自然との対話に大きく広がっていった。いまでは野鳥の声を聞きながら、その向こうに、わが命を育む雄大な命の層を意識している。

だから鳥たちに会うとき、彼らだけでなく、彼らを介して見えるすべての命に、「ご拝謁を賜り恐悦至極《しごく》でございます」と敬意を込めてご挨拶している。そしてこの気持ちは私にとって、境遇や社会生活といったさまざまな枠に閉じ込められがちな現実にあって、人類という種に生まれたという精神の根源を忘れないための、精神生命の原点にも思えるのである。

サンコウチョウ、ふたたび

天女の化身《けしん》に、ふたたびご足労いただいてしまった。

「日本野鳥の会」高崎支部の情報を頼りに群馬県安中《あんなか》を訪れたときだ。

携帯電話で、現地から正確なポイントを指示してもらいながら歩く。

親切な案内を頼りに清流にかかった橋を渡り、細い道をまっすぐ登っていくと岩に囲まれた窪地に着いた。周りにはブナ林があり、センダイムシクイやウグイスの声が小さく響いている。

「いないかな？　やっぱり運がよくないと……」

そのときだ。

「ギッ、フィチー、ホイホイホイ、フィチー、ホイホイホイホイ」

四年ぶりの再会だった。ああ天女の化身。私の気持ちは、最初に夜明けを教えてもらったあのときと、ちっとも変わっていなかった。

関東では、本当に数少なくなってしまった彼らに会えるのは、もしかしたらこれが最後かもしれない。私の心には、悲しいくらいの緊迫感がよぎっていた。気がつくと、「ホイホイ」は「ポイポイ」と聞こえるくらい近くなっている。あんなにいろいろな声々のなかにいるのに、どうしてこんなに透き通っているのだろう。

私は小さく「フイヒー、ホイホイ」と口笛を吹いてみた。するとどうだろう。やや間をおいて神秘の鳥が返事をしてくれたではないか！「ま、まさか」。もう一度やる。やはり返してくれている。そしてしばらくすると、声はいったん途切れてしまった。

十分も待っていただろうか。遠くにまた違う「ホイホイ」が戻ってきた。今度は、大きく「ホイホイ」と口笛を鳴らした。遠くで「ホイホイホイ」。何十秒か数えてからもう一度吹く。「ポイポイポイ」。あれ？ 近づいていないか。もう一度。たしかに天女のお応えが、どんどん近くなっている。

そしてとうとう、頭のすぐ上で「ポイポイポイポイポイ」と宝石のような声が響いた。それから、口笛に何回となく応えてくれたのである。

すぐそこに道路がある森。けれどそこは、彼らが戻ってこられる貴重な、本当に貴重な場所だ。人間よ、この場所をいつまでも天女たちに！

＊

私は鳥の声をかな綴りで「ホイホイ」とか「ポイポイポイ」とか書いてきた。でも、本当にそのように聞こえるのか、と疑問をおもちになることと思う。表記のほうはさておき、ある一定の声で聞くことが聞き分けのポイントになる。私が「フイヒー、ホイホイ」と口笛を吹くのは、サンコウチョウの声をそのように聞き取ったということだ。

もちろん、聞き違いもある。私の独断的な分け方だが、聞き違えの初級は、キビタキとオオルリの出だしや、センダイムシクイとカワラヒワの「ビーン」、ムクドリの警戒声とカケスの「ジェー」など、慣れればすぐに区別できるもの。とくに、遠くで鳴くオオルリの最後の「ジジッ」が聞き取れないときは、よくキビタキと間違えるのだ。

中級は、ツグミとケラ（キツツキ）類の「キョッ、キョッ」や、シジュウカラの「シーシー」と、シメの地鳴きなどだ。ケラ類と、同じくケラと声が似ているイカルとは、ともにけっこう珍しい鳥なので、間違えてもそうがっかりはしない。だが、滅多に来ないシメと勘違いして、したり顔でノートに一種類を書き加えている側《そば》から、「シーシー」の間に「ガラガラ」が入ってシジュウカラとわかったときの落胆といったらない。そして、ノートの行は、悲しく塗りつぶされるのであった。

変な間違いもある。

たとえば、カワセミの「ピピピッ」という声と、遠くを走る自転車のブレーキ。私は鳥声を音階のように聞いているので、このブレーキとカワセミの声が同じ音程に聞こえてしまうことがある。だから、リズムで聞き直さないと、時としてとんでもないところに流れがあると思い込んだりして、大間違いをしでかすはめになるのである。

遠くの工事とキツツキのドラミングも、けっこう曲者だ。木槌《きづち》が小気味よくなにかを打つ音は、遠ければ遠いほど山野に微妙な響きを醸し出し、それがリズムによって、やはり微妙なドラミングの音程に聞こえてしまうことがあるのだ。

カワラヒワも神出鬼没で、都会で一羽だけが「チリリリリッ」などと鳴きながら飛んでいったりすると、「あれ、いまのはカワラヒワ？　それとも誰かの財布の鈴？」と、一瞬本気でわからなくなったりする。この鳥は、電線でさえずっているときはともかく、飛びながら鳴くときは、いつもあわてたように「チリリリッ」と、ひと声だけ残して姿を消す。

そして厄介なことに、その声がお守りなどについている小さい鈴と、とても近い音域なのである。そのうえ、林などで繁殖期特有の「ビーン」を連発しているときなど、早々とセミが鳴いたのかと、あやうく感動しかけるところだったこともある。

そして、聞き違えの上級は、アカゲラとアオゲラ、ウグイスとミソサザイの地鳴きなどだ。これは、周りの環境に注意していないと、いまでもときどき間違えそうになる。

だまし打ちというのもある。

たとえば、歌数の多いヒヨドリが、ビンズイそっくりの声で「ツイツイツイ」と連発しているのを遠くから聞くと、本当にビンズイがさえずっているように思えるときがある。でもこれも、よく聞いているとすぐに「ヒーヨイッ」という、例の間《あい》の手のような声が入るので、すぐにばれる。とはいえ鳥のほうにだます気がさらさらないのだから、この場合は本当のだまし打ちとは言えないだろう。

本当にだまされるのは、鳥自身が意図的にほかの鳥のまねをしているときだ。とくに、モズとカケスは物まねの天才で、これはいまだに、いつだまされるのかわからない手ごわい相手である。

あるとき畑のなかを探鳥していると、どこからかヒバリの朗《ほが》らかな長鳴きが聞こえてきた。最近はヒバリに出会うことが珍しいので、私たちは嬉しくなってその声のほうにどんどん吸い寄せられていった。ところが、どうも様子がおかしい。ヒバリにしてはフレーズが少ないし、ときどき「キイッ」という妙な音が入る。ふと声がやんだとき、おや？　飛び立ったのはモズだった。

もういっぺん、だまされたのは、なんだかわからない鳥に出喰わしたときだ。

夏場に聞いていてわからない鳥は、たいていクロツグミなので、もう少し聞いていれば例の「チリリッ」とか「キョロン」が入るだろうと、たかをくくって聞いていた。ところが、聞いても聞いてもそれが出てこないばかりか、フレーズがどんどん複雑になっていく。音域もあちこち飛んで、わけがわからない。ずいぶん長く待っていたら、とうとう「ジェーッ」というカケスの正体を現した。なあんだ、と言ってはカケスに悪いが、人騒がせなやつである。

小鳥を食べるモズやカケスは、物まねで相手を呼び寄せて襲うという説もあるらしいが、私はどうも、あのヒバリをまねたノリのよさや、カケスの調子のよさにつられ、彼らが物まねをして楽しんでいるように思ってしまう。本当のところはどうなのか、ぜひモズ君たちに聞いてみたい気がする。

カッコウは、絶対に間違えない鳥だが、これもけっこう驚かせてくれる。「カッコウ」と上手に鳴いているかと思うと、突然「ゴボゴボ」と、大きな卵でも喉につかえたような苦しげな音を出すのだ。「おいおい、大丈夫か」と、こちらも一瞬足が止まる。でも当人は、なにごともなかったかのように「カッコウ」を再開する。

この「ゴボゴボ」がカッコウの声であることを発見したのは中西悟堂氏だそうだが、彼はこの発見に数年を要したと著書に書いている。

声のかすれたカッコウに出会ったこともある。

「カッコウ」と、第一声はけっこうなのだが、第二声になると、「カッコフッ、カッコフッ」と最後まで声がもたずに裏返ってしまう。本人もそれが気に入らないらしく、声がかすれると、いったん鳴くのをやめ、「ゴボゴボ」と喉を払ってから、また「カッコウ」と始める。でも、じきにまた、「カッコフッ」と裏返ってしまうのである。イライラするだろうなあ。もしかして、この子の親やお祖母《ばあ》さん、ひいお祖父《じい》さんも、声がかすれていたりして……。

少し余談になるが、聞きなしのなかにも、ちょっと待ってと言いたくなるのがいくつかある。

たとえば、「ツキ、ヒ、ホシ、ホイホイホイ」と鳴くというサンコウチョウだが、「ホイホイホイ」はともかく、出だしだけで言うと、実際にはどうしても、「ギッギイ、フイチー、ホイホイホイ」と聞こえるように思う。つまり、アクセントからしても、「ツキ、ヒ、ホシ」とは言い難いと思えてしまうのだ。

それを言うなら、むしろイカルのほうが、よほどはっきりと「ツキ、ヒ、ホシ」と鳴いているように私には聞こえる。地方によっては、サンコウチョウをイカル、イカルをサンコウチョウと呼ぶところもあるらしいが、声だけで聞くと、もしかしたらこちらのほうもあながち間違いではないのかもしれない。

もう一つ不思議なのは、ホオジロの聞きなしだ。「チッチ、チョチョチョチョ、リリリリ」などと聞こえる、複雑な歌を「イッピツ、ケイジョウ、ツカマツリソロ」と聞きなすのだが、最後以外はどうにもそう聞こえない気がするのだ。出だしにかぎって言えば、むしろホオアカのほうが、はっきりと「イッピツ、ケイジョウ」と発音しているように思う。実際の声も、「チッ、チョチ、チイチョロ」と、どの個体もたいてい同じように歌うので、フレーズも安定している。

それに比べてホオジロは、一羽ずついろいろな音素を編み出しているので、とてものことに、「イッピツ、ケイジョウ」などというひと言では、おさまらないように思えて仕方ないのである。

もっとも、いまでは、こんな聞き違いも自分なりの発見術を編み出しながら、かなり克服している。

初級で言えば、キビタキよりオオルリのほうが第二節の音域が広く、曲線を描くように朗々と歌いがちなことがわかった。だから、よく言われるように「ジジッ」

まで聞いて区別するほかに、区別の方法が増えた。ツグミの「キョッキョキョキョ」は声が裏返りがちで、まっすぐなケラの声と違うし、ツグミはあわてたように「キョッキョキョキョ」と鳴きたてたりする。

ミソサザイは、同じ「チャッ、チャッ」でもウグイスよりきつめに、少したたみかけるような調子で早口に鳴く気がする。わかってしまえばたいしたことはないのだが、わからないうちは、なじみの鳥の声がびっくりするような珍鳥の声に聞こえてしまったりするわけだ。だから探鳥では、期待より冷静さ、直感より辛抱強さがカギになる。

ところで、初級にして、しかもウルトラ上級というのがある。いわゆるカラ類の地鳴きだ。

カラの混群（カラ混）には、シジュウカラのほかに、ヤマガラ、コガラ、ヒガラ、ゴジュウカラ、エナガ科のエナガなどがいる。ところによっては、ハシブトガラなんていうのもいるので、ほとんどパニック状態だ。

初級のうちは、各種のカラの地鳴きさえ聞き分ければよいのだが、しばらくすると、遠くで鳴いているゴジュウカラとヒガラの「チイ」を聞き分けるとか、ヤマガラとコガラのぐぜり（口のなかで小さくクチュクチュと鳴く声）を聞き分けるという難題が、次々と現れるのだ。これが、カラが初級であり、上級であるという意味なのだ。

探鳥を始めたころには、鳥はさえずりと地鳴きの二つしかもたないように思っていた。それが、彼らがこんなにさまざまな声をもち、その声にこれほど豊かな表情があることを知ると、とたんに生活感が出てくる。

それまで私は、鳥といえば、見に行く対象に近い存在だったが、こんな聞き違いを重ねているうちに、地上で一緒に生きている、生身の命だと、強く思うようになってきた。そして、歌の下手なウグイスが日々練習を続けたり、ソウシチョウが毎月のように歌を増やしていくたびに、私はそんな思いを強くしているのである。

聞きなしの大家と呼ばれるような名人でさえも、「きょうのところはなんの鳥かわからん」と書くことがあるそうだから、もちろん私ごときは、たいした聞き分けをしているはずはない。

しかしとにかく、場数を踏みながらこういう細かい発見を重ねたあとで、はじめてある程度安心してフィールドノートに向かえるのである。

音遊び

盲学校には、私のような全盲生のほかに、弱視といって視力が低かったり、あるいは視力は高くても視野が狭く、晴眼者と同じ活動が難しい生徒などが入学している。だから盲学校では点字のほかに拡大した活字や普通文字（点字に対して墨字《すみじ》という）を使う生徒がいる。ふだんから、弱視生は全盲生を助け、全盲生もできることを積極的に見つけて手伝うなど、助け合いの雰囲気があった。

遠足のときは、各自の身長や活動能力、視力などさまざまな点を考えたうえでパートナーが決められ、その日は終日、弱視生が全盲生を手引きすることになっていた。気の合う友だちとはおしゃべりが弾《はず》むし、うまの合わない人とは口もきかずに歩くこともある。でも、これが遠足の一つの楽しみであった。

　私は学校のほかにも、スイミングクラブや地域の子ども会でキャンプや遠足に参加した。それらを思い出してみても、パートナーを決めることを除けば、盲学校の遠足は一般校のものとなんら変わらなかったと思う。いや、むしろ盲学校の遠足では、晴眼児との遊び以上に、清流の冷たさや滑らかさ、頭上に垂れる小枝のぬくもり、枯れ葉のちぢれ具合やセミの抜け殻の軽さといった生命の断片に、直接手を触れられた気がする。盲学校だったからこそ、自然を肌で感じ、目で見るよりもずっと深く、自然に埋没できる機会に恵まれたのかもしれなかった。

　小学校では、毎年夏、富士山麓山中湖の研修所で夏期教室をやった。毎日のスケジュールは山登り、カレー作り、キャンプファイヤーなど普通のキャンプと変わらない。いちばん面白かったのは肝試《きもだめ》しだ。

　先生があらかじめロープを張って作った道を、両手で伝わりながらゆっくり歩く。道は「お豊《とよ》さんのお墓だぞ」などと聞かされた草叢の凸凹地帯で、私たちにはそれだけでもかなりの恐怖だった。要所には先生たちが苦心して作った「恐ろしい音のテープ」が流れていて、昔のヒュウドロや妙なシンセサイザー音楽、水の滴《したた》る音や女のすすり泣きなど、得体の知れない音が聞こえている。

ここでちょっと話がそれるが、私たちが室内で一人遊びをするとき、たいていの子が「テープ遊び」というのをやっていた。さまざまな音を自家製の道具で再現してテープに録音し、擬音を作るのだ。もちろん、ほかにも遊びはあったけれど、音の大好きな私たちにとって、このテープ遊びはかなり大きなウェイトを占めていたように思う。友だちとごっこ遊びをするときはこのテープを効果音に使い、かなり本格的な演出をしたものだ。

人数の少ない盲学校のことで、友だちは「お泊まり」と言っては、互いの家を行き来していた。誰の家に行ってもかならず擬音を吹き込んだ力作テープがあって、まずその披露から始まることが多かった。

たとえば、風呂場の扉を「ギイッ、ギイッ」ときしませながら、マイクの側で「ヒュウー」と息を鳴らして風の音を出す。「怖いですねえ」とコメントしたらお化け屋敷のでき上がり、というわけだ。台所で煮物をしている傍らに立って鍋を叩き、「お料理教室」をやる子がいるかと思うと、マイクで水をかき回してぶち壊す子がいる。

私も、穴開けパンチの丸い屑を箱いっぱい集めた側にマイクを置き、足音のリズムと同じ拍数でこの紙屑をそっと押す研究をやった。これは砂漠や山道を歩く音に使えるのである。「砂漠をやるたびに、部屋じゅう紙吹雪を撒いたみたいになっちゃう」と言って、母があきれたものだ。

さらに、当時流行《はや》っていたスライムという合成粘土を茶筒に入れ、上からグイグイ押して「バターをこねます」とやったり、単三電池をフランネル張りの箱の上で歩くように動かし、西欧の薄暗い学校の風景を演出したりした。「エンリーコ、こちらへ来なさい」と言ったあとで、「コツ、コツ」と電池を動かすと、黒い学生服を着たイタリアの少年が悪戯《いたずら》を見破られて、そっと教壇の下に歩み寄る風景がちゃんとできるのだった。

トレーシングペーパーをシャリシャリ動かして、会社ごっこをしたこともあった。「雪の上を歩く」と言って、弁当にもってきたリンゴを箸で規則正しく刺して、その音がまるで雪の上を歩いているようになるのを楽しんだりもした。

さて、こんなふうに、毎日が音遊びだった私たちだから、肝試しのときに先生たちが苦心して作った音源には、興味津々なのだ。だから肝試しが終わると、私たちはいつも、「あのテープはアニメの主題歌で、回転を遅くしたんだ」とか、「ロープの継ぎ目にいたのは○○先生だね」などと言い合ったり、「風の音がさっきの怪談のお豊さんに似た声だ」と肩を寄せ合ったりしたものだ。

最近は、自然観察会で、目隠しトレールなる遊びが生まれているらしい。晴眼者が目隠しをしてロープを伝わり、周囲の自然を手で触れて観察するというものだ。私たちの肝試しは、これよりずっと先にこの方法を使っていたことになる。そしてテープの音そのものを怖がるより、それがどのように作られたかに興味をもっては、「あの音はどうやって録音したの？」と、しきりに先生に尋ねたりした。

当時はまだ、自然の恩恵や価値を格別意識したわけではなかったけれど、この肝試しで私たちは、自然界の夜が真の闇であることを肌で感じたのだった。

そのほか、山登りのときは歩くのがいちばん遅い人を先頭にするとか、川で石を投げる前にはかならず向こうに人がいないか尋ねる、などの基本的なマナーはもちろん、山頂では周りの音が下から聞こえるから高い、といった空間認識の方法も覚えていった。

高校のとき、ピアノ教室の合宿で渓谷の上に立ち、「セミの声が下から聞こえるから谷が深いのですね」と言ったら、先生がずいぶん驚かれたらしく、十年以上経った現在でもその話題を口にされる。盲人が、どのようにして高いところにいることを実感するのか、はじめてわかったそうだ。こんな認識方法も盲学校で培《つちか》われたもので、いまでも感謝している。

私の通った盲学校では、日常の授業にも実体験を重視するという精神が貫かれていたように思う。

たとえば理科の授業で、私たちは電流をなめたことがある。

コイルのなかで磁石を動かすと電気が発生する、という電磁石の原理を教えるために、先生はまず、コイルに電極をつないだ。そして、その装置を一人ひとりの舌に当てさせ、微電流の流れを確かめさせてくれたのである。コイルのなかでU字形の磁石を恐る恐る動かすと、舌に少し苦い震えがきた。死にそうもないと安心して、もう少し強く動かしてみると、苦みが増して震えが少し痛い感じになった。テスターのメモリで証明されてもピンとこない微電流を、私たちは安全な環境で、なめたのである。

この化学の先生はおおらかで優しく、試験管掃除用のブラシをあわてて使い、瓶の底をぶち抜いてしまったときも、「君は試験管破壊者第一号だね、はっはっは」

と嬉しそうに言われた。叱られるかと恐怖におののいていた私は、妙な気分になったのを覚えている。こんな雰囲気だから、私たちは失敗を怖がらずに安心して授業に臨めたし、そうして受けた授業はいつも楽しく心に残るものばかりだった。

中学一年、第一時間目の生物の授業も強烈な印象が残っている。

この授業を受け持っておられたのは、南極でアデリーペンギンの研究をなさった先生で、始業の挨拶が終わると、「これから外に出て植物に名前をつけよう」と言われた。植物には虫や脂がついていたりして、私はあまり葉を触る気にならないことが多かったが、「名前をつけよう」のひと言でなにもかも忘れ、外に飛び出した。

指定された植物を順番に観察し、命名順にノートに書き込む。見える生徒は「緑茎」とか「毛生え」などの名前を考えつき、見えない生徒は「ざらっ葉」「ペアリーブズ」など、手触りや形をとらえた名前をつけた。

分類や名称を一方的に詰め込むのでなく、ユニークな名前をつける作業から、植物の豊かな特徴を自力で発見させる。自然観察をかじってはじめてわかったが、これはまさにフィールド実習そのものではなかったろうか。そしてそれは、家にこもりがちな盲学生たちを自然界に誘《いざな》い、植物観察に熱狂させ、さらに次のステップに進むための期待と行動力を与え得る貴重な授業だったのだ。

　地学の授業も楽しかった。安山岩、玄武岩、雲母《うんも》など、各種類に属する石の標本を触ったあと、埼玉県長瀞《ながとろ》の河原に実際に石を集めに行った。感光機で観察したり、大岩に重なる石の層に何度も触れてみた。感光機を当てると、色の濃淡によって音が違うので、その音を頼りにセンサーを動かすと褶曲《しゅうきょく》の線がはっきりとわかる。「これは、マグマの芸術だ」と感動しながら、私はていねいに石を拾った。

　そして最後に、集めた石に一つひとつ点字でネームプレートを貼って標本箱におさめた。後日の授業で一人ずつコレクションを見せ合ったのだが、このときにはクラスメートたちの集めた石の形の多様さにびっくりしたのを覚えている。

　そうするうちに私は、石には種類ごとに微妙な温度差があることに気がついた。溶岩や軽石のように隙間のある石は温かい感触。反対に墓石や教会の壁などに使われる大理石や御影石《みかげいし》は密度が濃いせいか、どっしりと冷たいのである。

　水の肌触りも興味をひいた。湯船の縁までお湯を張り、あふれないようにそっと体を入れていくと縁のあたりで水が盛り上がる。これが表面張力だと教えられた私は、そのあと半年ぐらい、風呂に入るたびに湯船いっぱいにお湯を満たしては縁のあたりで盛り上がらせ、表面張力が破れてザザッと水があふれる感触を楽しんだ。

また、水の分子が互いに引き合うことを教えるときも、先生は水槽に満たした水に実際に手を入れさせ、分子の存在感を味わわせてくれた。指をゆるやかに開き、力を抜いた状態で水面からそっと手を入れる。すると水の分子の引き合いが手によって破られ、柔らかな水の抵抗が徐々に加わってくるのがわかるのだ。恥ずかしい話だが、私はいまだに風呂でこの実験をやったりしている。

ところで、家の風呂で水の抵抗の標準値を体で覚えておいて温泉で同じ実験をすると、その温泉が比重の重い水質か、粘土質か鉄分質か、触っただけでわかるようになる。さまざまな授業のなかで、私はいつの間にかこんな自然観察方法を学んだらしいのだ。

就職して一、二年たったころだろうか、私は日本自然保護協会主催の、自然観察指導員の養成講習会に参加し、はじめて目隠しトレールなど、視力以外の感覚を使ったネーチャーゲームを体験した。

このとき、面白いと思ったことがある。

目隠しをされ、歩くのさえ覚束《おぼつか》なくなった晴眼者たちが、「樹木を触ってみましょう」などと言われても、ほとんど特徴をつかめなかったのだ。そればかりか、周りの音に耳を澄ませても、自分が高いところにいるのか、低いところにいるのかの判断さえつかなくなってしまった。突然目隠ししておいて、触れとか、聞けとか言われても無理だと思う反面、盲学校で習ったすべての基本的な触知の方法や聴覚訓練が、どれだけ私の世界を安定させているかを実感する思いだった。

少しくわしく書いてみると、たとえば周囲の音を聞いて自分がどんな地点にいるかを聞くには、まずしゃがんで、できるだけ低い姿勢をとりながら耳を澄ます。都会では必要ない行為だが、山のなかではとても役に立つ。とくに鳥の声を聞き分けたり森の様子を知るときは、しゃがまなければ情報量が半分くらいに減ってしまうのではないだろうか。

それから植物を観察するときは、まず根を確かめ、そこから両手で上方にたどると、枝の分かれ方や葉の状況が体系的にわかる。しかもこの方法を使うと、かなりの大樹でも一部を触るだけで全体像の見当がつくのだ。

「群盲象を撫《な》ず」と言うが、この諺《ことわざ》はかならずしも正しくないと私は思う。触ることには、それだけ深い世界が秘められているのだ。

目が見えない以上、事物を理解するには直接触れたり、顔を近づけて匂いや味を感じて学ぶしかない。抽象的な現象でも、実験や体験を通して理解することが多くなる。歴史や地理なら、地図や分布図が擦り切れるほど探って記憶することになる。だから、学習には晴眼者の何倍も時間がかかるし、けっして能率的とは言えない。でもその分、一つひとつの知識の印象は強く、一生涯忘れ得ないものとして体に染みつくのだと思う。

そして私の場合、小さいころには単なる教育の積み重ねだったこれらの知識が、大人になって自然や環境に関心を寄せるにつれて、さながら種が樹木に育つように芽吹き始め、いつか花開く可能性さえ秘めてきたようなのである。

ぼんやりと輪郭を見せ始めたこの知識の樹木が、これからどんなふうに育つのか、私自身にも予想できないところが面白い。そうしてこう考えるにつけ、これほど多彩で実になる種を、私のなかにていねいに植えつけてくれた盲学校の教育に、敬意を表さずにはいられなくなるのである。

鳥を詠む

野鳥と勝手にお近づきになり、彼らの声に耳をそばだてるようになった私は、点字で野鳥日誌をつけるようになった。初めは、聞こえた鳥の種類が増えるのが嬉しいだけだった。だが百種類以上の鳥を聞き分けるうちに、自然が突然、体に染み込んでくるような気がしてきた。

たとえば、ごく当たり前のスズメ一つとっても、冬と春では鳴き方がまったく違う。立春を過ぎるころから、彼らの声は弾けるような張りをもち始め、早口な甘え声や張りつめた喧噪の声が加わって、とてもバリエーション豊かになるのだ。

ヒヨドリやムクドリは、春と秋に駅前の並木道などでかなり大きな群れを作って、街路樹を塒にする。その下を通ろうものなら、まるで木の上に小学校ができたような騒ぎだ。そうした声は、春には木々の緑を伝え、秋には紅葉を教えてくれる。そんなふうに、小鳥の声は自然の色彩まで私に歌い伝えてくれるのだ。俳句の魅力に目覚めたのは、そんな自然の動きを手にとるように感じ始めたころだった。

そういえば、小学校の国語の時間に「十七文字で季語を入れて、なにか作ってみましょう」などと言われ、「校庭に向日葵《ひまわり》の花植えました」だの、「山鳩の声に合わせて杖響く」だの、みんなで好き勝手な句をものしていた。高校生になると、俳句も暗記ものの一つとなり、芭蕉や一茶の代表句を五つ挙げよ、などという試験があった。

この程度の知識だから、「句作りを始めるには、まず歳時記」と言われても、はじめて聞く言葉のように思えた。いろいろ当たってみたが、点字本となると「季寄せ」はあっても、ある程度の量をもつ歳時記は見つからなかった。そこでたまたま知り合った、俳歴二十年という方に教えていただいた歳時記を、ボランティアの人たちに点訳してもらうことにした。

五冊分の歳時記を点字にしたら、三十冊くらいになった。けれど最近は、幸いパソコンの助けを借りてフロッピーで読めるのだ。

最初は、

お帰りと鳴く飼い鳥や日脚伸ぶ

といった、鳥にまつわるものばかり作っていた。「愛鳥句集」を出すのが夢などと、途方もなく生意気なことを考えていた。だが少しずつ句を見てもらうにつれ、私にとっては鳥が景色そのものであっても、晴眼者にとってはかならずしもそうでないことがわかってきて、ちょっとした行き違いを感じ始めたのだ。

たとえば、

クロツグミ聞き止む宿の朝まだき

と作ると、「ツグミの声を聞いたのなら、わざわざ黒という色を歌う必要はないでしょう」などと書かれてしまう。クロツグミはいわゆるツグミではなく、夏鳥として渡来する別種だ。これを聞くと、私には灌木《かんぼく》と低木のある、少し開けた山の雰囲気が見えてくる。これがツグミだったら、ただの畑か住宅地、または雑木林が見える。だから「クロ」は、私にとって景色を左右する大事な接頭語なのである。

まだ、ある。

山の端や鳥声までも夏の色

と作ったら、「声に色はない」と言われた。俳句の稚拙さはともかく、私にとっては声にも景色があり色がある。もっと正確に言うと、声そのものが景色であり色なのだ。だから私に言わせると、夏鳥が山中でさえずっていれば、それはまさに「夏の色」であり、「夏景色」だ。

私は試しに、このことを言葉で説明してみた。稚拙な句だから通じないのかと思ったのだ。けれども説明すればするほど、聞いている人たちは混乱するようだったので、私は素直に諦めた。色はあくまでも目に見えなければならず、音から見える色という概念は通じない事柄なんだ、と思った。もっとも、こうまでこだわらずとも、夏鳥の声を一つ詠めば、立派な夏の色が再現できるのだけれど。

そこで今度は、少し鳥から離れてみた。基礎を覚えるまでは、まず、晴眼者にも通用する情報を私の側から見つけなければならない、と思ったのである。そうでなければ、いつまでも独りよがりと言われるばかりだし、だいいち上達もしないだろう。それに留鳥《りゅうちょう》が秋の季語だったり、ウグイスの地鳴きが「子どもの鶯」ということになるなど、図鑑とは少し違った俳句の常識もたくさんありそうだ。

そのようなことで、しばらくは、かなり戸惑った。絵になる景色を無理に想像し

て、

翻りきらめき散らす照り葉かな

などと書いてみると、「そんなのはどこにでもある」とにべもない答えが返ってくる。さりとて私の感覚だけでは、目に美しい、絵になる、詩になる景色を見つけるのは至難の業だ。

それでも、どうにかうまい方法がないかと、今度は目に見えなくても絵になる現象を探してみることにした。そして最近では、

芍薬の重き蕾を掲げけり

今朝も会ふ犬の散歩や栗の花

などを作り、そのようなことは、わかってもらえるらしいことに気がついてきた。鳥の繊細な描写は、私には十年も二十年も早かったらしい。さまざまな模索のなかで作った、

耳遠き祖父ひたすらに剪定す

という句が褒《ほ》められたのが、私にはなによりの励みになった。もう少し最近のものでは、

新茶売り薦め上手な京言葉

が、けっこう好評だった。

ところで、私にはもう一つ厄介な特技がある。それはとんでもない勘違いというやつだ。

俳句からは離れるが、たとえば体罰は深刻な罰だから「大罰」、またジュースを「汁素」と書くと思っていたりした。意味からいうと間違いではないのだが、点字には漢字がないので、こんなとんでもない思い違いを、ずいぶん長い間放っておくことも少なくないのだ。

さらに困った例を挙げると、干し葡萄を「星葡萄」だと思っていた。これはかなり小さいころで、あのしわしわは星の形だと思っていた。星葡萄だからちゃんと星形をしていると信じていたのだ。ついでにもう少し並べてみると、汚職事件を（政治家だけが入れる店のための）「お食事券」、着の身着のままを（木の下で生活するほどたいへんなことなので）「木の実木のまま」、鬼は外を「お庭外」（庭は外にあるから）などなど。ほかにも、継母に対し、継父を「パパチチ」と言うのだと本気で思っていた。二度目の親だから、二つの呼び名でしっかり覚えるため、と語源まで勝手に編み出していたのだから始末に負えない。

　俳句に戻って言えば、花氷という季語を季寄せで読んで、花の形に凍らせた夏の風物と思い込み、「花氷コップに小さくささやけり」などととんでもない代物を詠じたりした。もう一つ驚いたのは「田水沸く」という季語で、これは「田水湧く」だと思っていた。清水のように、豊かな水が満々と田に流れる涼しげな風景を思い浮かべていたら、じつは、田の水が沸くほど暑いという意味だったのだ。「初日影」というのも、初日の出が作った最初の日陰のことだと信じていた。

　だがそんな勘違いを脇においても、さらに難しい問題があることに気づいてきた。それは自然観察と句作の視点の違いだ。つまり、花鳥諷詠《ふうえい》という自然現象を、人間の作った句材というカテゴリーで処理しなければならない矛盾と言おうか。

　自然観察は自然のメカニズムに焦点を合わせるのに対し、俳句では現象の裏にある深みを追求するのだから、これは当然の違いだと思う。たとえば鳥の声には色がないという考え方も、見方を変えれば、まず色、景色などという人間の理論と視覚が先にあって、そこに、鳥という句材がはまっているとは言えないだろうか。

　そういえば、観察会などで自然現象や、鳥の声の変化に感動したことを俳句に作ると、未熟な私の考えを超えた感想が返ってきたりする。たとえば、「冬だからこの鳥が来るのは当然」「夏にこの鳥が鳴くのは当たり前」なので、それからなにを感じたかを書いてほしい、といったことだ。観察者としてその鳥の声をとらえることには価値があっても、俳句にするとなると、それだけでは足りないのである。

俳句の知識も技術も未熟な私にとって、これはたいへんな問題だ。最初私は、観察者として野鳥の歌や自然のメカニズムに感動し、その世界が人間の理性から解放されていることを発見した。なのに、それを俳句という自然主導の表現で文字にしようとすると、自然の描写のどこかに、人間の心のひだや風情を詠《うた》い込まなければ、詩としては成り立たないらしいからだ。

それでも私は、初めに自然ありき、という世界観を捨てられない。私にとって、季節はいつも鳥の声から移ろい始める。人間が感じる前に、いつも鳥が季節を連れてくると思ってしまう。だから私から見ると、「冬になったからツルが来る」のではなく、「ツルが来たから（これから）冬になる」ということになってしまうのだ。

要するに、私はありのままの自然を感じていたい。そしてその気持ちを、自然を愛してやまない日本人が古来育んできた俳句という形で、文字に刻んでみたい。

たしかに、それは難しい問題だと思う。でも、野鳥オタクの私は、句を作るときに、まず自然現象があり、それを人間が俳句として詠んだとき、はじめて句材に変わるというスタンスをとってみたい気がする。言い換えると、句作りのときも、自然保護の精神を忘れないでいたい。俳句を詠む人間であると同時に、生態系に組み込まれた一つの霊長類でもありたいのだ。

ずいぶん生意気な話を書いてしまったことをお許しいただきたい。私の技量はまだ未熟であり、こうしたおぼろげな気持ちを、どうしたら表現できるのかもわかっていない。ただ私にすれば、これができたときにはじめて「俳句を詠みます」と心から言える日が来るような気がする。そして、これからこの考えがどんなふうに進展、変化していくのか、また本当にそんなところまで到達できるのか、楽しみにとっておきたい。

伝えるということ

はじめて意識的なコミュニケーションをしたのは、小学校三年ころ、近所の外国人の家で英語を習うようになったときだと思う。この先生は発音を最重要と考え、一つのフレーズをネイティブスピーカーと同じように発音できるまで繰り返すというレッスンをした。

生徒たちは、ノートもカードもない、カセットテープだけの授業を重ね、「犬のスポットを探しに行こう、見つかったらいろいろなゲームをしよう」というような文章を一カ月も復唱し続けた。どの文章にも発音の基本要素がもれなく含まれていて、私たちは、「イ」の音が高いとか、「エル」の音が硬いとか細々と教えられる。歌やゲームもあって、先生はすべての説明を英語でやった。

周りの生徒と違って、見よう見まねでルールを把握できない私には、先生が手取り足取り教えてくれた。

大きなジェスチャーで「ジャンプ」の単語を教えるときなどは、わざと派手な音をたてて、私にも跳びはねたことがわかるよう工夫してくれたりもした。また、庭じゅうに張りめぐらしたツルバラの花や、何ブロックも先から見える大きなモミの木に点灯させたクリスマスのイルミネーションを、抱き上げたり肩車したりして、触らせてくれたこともあった。

だがこの先生のもっとも素晴らしかったところは、「見えないからこそ発音がよくなる才能がある。見えないからこそ文字や絵に頼らなくても、言葉が理解できるチャンスがある」と繰り返し、晴眼児のなかで戸惑う私を、たえず勇気づけてくれたことだ。

当時私は、世間の視線や晴眼者との違いを少しずつ意識し、「見えないこと」によるコンプレックスをもち始めていた。そんなとき、「見えないからこそ素晴らしいことがある」という価値観を教えてもらったことが、どれほど励みになったかわからない。「音を聞き分けることが特技になる、それは見えないからこそできる」

という視点は、この教室で得た最大の発見だったように思う。

この英語教室で最初に入ったのは、小学校低学年のクラスだった。五、六人のクラスだったが、やんちゃな男の子が二人もいて、「麻由子、これ、なあんだ」などと、目の前になにかを突き出して、私が「触らなきゃわかんないじゃん」と戸惑うのを楽しんだりした。すると、これまた元気のよい女の子が、「そんなことしちゃ駄目だよ」と本気でかばってくれる。

授業の前にはいつもこんなことがあった。男の子にからかわれれば悔しいし、女の子にかばわれれば恥ずかしいし、どちらにころんでも、気持ちのやり場がなかった。

先生が、「ハロー!」と元気よく入ってこられると、心からほっとした。授業はとても愉しかったので、さすがのやんちゃ坊主たちも、私への興味を一時は忘れてくれる。とはいえ、子どもたちの授業はゲームや庭で遊びながらの発音練習が多かったので、私にはつらい場面も少なくなかった。

たとえば、枝いっぱいに実ったウメをみんなでもいで籠に入れながら、"plum"の発音を練習する。でも私には、枝のどこに実が生《な》っているのかを手探りで見つけるのにおそろしく時間がかかった。ようやく見つかりそうになると、例のやんちゃ坊主が、「あった！」と叫んで横取りしたりする。

そこで悔しがろうものならまた冷やかされるので、私は根気よく木の実を探したものだ。英語は好きだけれど、こんなふうに英語以外のことに気を遣うのはいやだった。こんな腕白たちと渡り合うくらいなら、座ったまま単語を繰り返しているほうが楽なのに……。

けれど先生は、私が一個でも自分で実を見つけると、ほかの子が見つけたときの何倍も大きな声で大喜びしてくれた。

「麻由子が見つけたんだ。これはスペシャルだ」

そしてすぐに、“special”の発音練習が始まるのだった。

ある日、先生が私にこんなことを言われた。

「麻由子、あなたの発音はとてもよい。そろそろ文章を勉強できると思うんだ。どうだろう、中学生のクラスに行ってみないかい？　みんなお姉さんだけど、大丈夫。麻由子は発音が上手だから、すぐについていける」

中学生のクラスには、それまでの悪童の分を補って余りあるくらい、優しいお姉さんたちが待っていた。その一人は、都内のミッションスクールに通っていて、「麻由ちゃん、私の学校においでよ。一緒に勉強しようよ」と励ますまでに仲良くしてくれた。もう一人は、商店街にある書店のお嬢さんで、店に立ち寄ると、いつも「麻由子さん、いらっしゃい」と迎えながら、ノートや便箋を触らせてくれたりした。

そしていつか、悪童たちに圧倒されていた私の心は解き放たれ、もっと普通の人たちと話してみたいと思うようになっていった。

ただ、いま思うと、あの悪童たちだって、けっして私を苛《いじ》めていたのではなかった。むしろ、なんとかして話しかけ、できれば仲良くしてやろうと彼らなりに接点を求めていたのだろう。その証拠に、どんなに笑ったりからかったりしても、一度として私に手を出さなかった。ウメの実は横取りしても、みんなでどこかに移動するようなときには、先生が見ていなくてもちゃんと手を引いてくれた。現実には、そんな愛らしい友情表現を読み取れなかった私の心の狭さこそが、みずからを戸惑わせていたのだった。

先生はそんなことも、ちゃんと見ておられたに違いない。なんと気の小さな子どもだ、と思われたことだろう。

けれど先生は、そこで「頑張れ」とか、「おおらかになれ」などと変化を迫ったりはしなかった。それどころか、晴眼児との授業という未知の体験が私の心を閉ざしつつあったことを、またそのころの私には、とにかく気持ちが解き放たれる必要があったことを、しっかり受け止めてくださったのである。そしておそらく、中学生クラスの雰囲気ならついていけるだろう、と先を見越して、バイタリティーのない私を野外クラスから救い出してくださったのかもしれなかった。

こうしてその日から、私は全身を耳にして先生の発音を繰り返し、お姉さんたちに迷惑をかけまいと必死で文章を暗記した。「三人称単数現在」などという、わけのわからない言葉もときどき聞こえたけれど、先生はそんなものの理解を求めない。私には、私にわかることをじっくりと教えてくださったのである。

中学に入るころには、私の発音はかなり上達していた。先生の言葉なら、ほぼ確実に再現できたし、意味がわからなくても正確に発音するという妙な特技も身につけていた。

ところが、天はたしかに二物を与えない。中学一年の教科書を見せられても、私はまるでわからなかった。文字が読めなかったのだ。どんなに発音がきれいでも、文字が読めなければ学校では通用しない。テープで流れる文章はよくわかるのに、教科書のどこにそれが書いてあるのかも見つけられない。先生の励ましに有頂天になっていた私は、頭が真っ白になってしまった。

中一の夏休みは、母親とスペリングの特訓をするはめになった。文法も頭痛の種《たね》だった。日常表現や慣用句はそれなりに暗記しているのだが、同じ動詞が主語によってまったく姿を変えてしまうことが、どうしても理解できないのである。そういえば、小学校時代、国語の文法がからっきし駄目だった。思わぬところで、難題を引きずったものである。

そんなわけで、私はいまだにスペリングには慎重だ。九十パーセント自信があっても、つい辞書に手が伸びてしまう。耳から先に言葉を覚える習慣からか、フランス語のスペリングにも慎重だ。

しかしともかく、中二になるころには、どうやら文法やスペリングの問題を克服し始めた。そしてようやく、学校で習ったことと、すでに暗記していた文章の理解が、同じ線上で一致したのである。それからは、生来の好奇心が頭をもたげ、もう高校生となっているお姉さんたちとともに、ますます愉しく英語のクラスに通ったのだった。

こうしてある程度の自信をつけた私は、十五歳のときアメリカ・ユタ州に留学し、さまざまなコミュニケーションを経験したのである。

一人っ子の暮らしから突然、五人兄弟のなかにほうり込まれたことへのカルチャーショックも手伝って、渡米後しばらくは、眠いばかりでなにも手につかない日々を送った。早口でまくし立てる高校生の姉や、突然しがみついてきて、わけのわからない発音で話しかける幼児に囲まれて、私は数日間、言葉が出なかった。

そんな窮地から救ってくれたのがピアノだった。この家には手作りの古いピアノがあったのだ。さながらモーツァルトのフォルテピアノのような素朴なものだが、言葉という伝達手段を奪われた私にとっては、唯一の表現媒体だった。

毎日ピアノに向かい、覚えているかぎりの曲を弾いていた。

このときほど暗譜で曲を学んでいたことがありがたかったことはない。次から次へと憑《つ》かれたように鍵盤を叩いていると、ホストファーザーが「麻由子はすごいピアニストだ」と、アメリカ人らしく大げさに反応してくれ、それがきっかけで家族たちも私と本気で話をするようになったのだった。

留学したユタ州はモルモン教徒が多く、ホストファミリーも熱心な「モルモンズ」だった。日本でプロテスタント教会の日曜学校に通っていたことを話すと、モルモン教会で勉強するよう勧められたので、それならと、毎週、家族と一緒に礼拝に出ることにした。そして礼拝のあとは、女子だけの分級やクワイヤー（聖歌隊）にも加わった。

モルモン教の礼拝は、信者たちが信仰上の経験を語ったり、神様からいただいた才能（ギフト）を披露したりする。ホストファーザーは私に、「（ギフトの披露として）教会でピアノを弾かないか」ともちかけてくれた。これがきっかけで、私はその後何度も、四百人近い信徒たちの前でこのギフトを披露することになり、数々の新しい友だちとめぐり会えたのだった。

驚いたのは、演奏が終わっておじぎをすると、拍手とともにかならずほうぼうからすすり泣く声が聞こえたことだ。一部の信徒のほかは、私が正確には誰なのかも、どこから来たのかも知らない。反対に何人かの顔見知りの信徒たちは、モルモン教徒でないことを承知している。それでも、私のピアノで多くの人が涙を流してくれるのだ。上手だと褒められることはあっても、自分の演奏で毎回これほどの人が泣いてくれるなど日本では考えられない、と私は思った。

ユタでは公立のハイスクールに通う一方、点字本の貸し出しなどの援助を受ける意味もあり、私は盲学校でもいくつかの科目をとった。だからハイスクールの行事のほかに、盲学校でも生徒会に協力したり、さまざまな行事にも参加した。

その一つに、教会での演奏というのがあった。

これは盲学校の全生徒がプロテスタントの教会に出向き、歌や音楽を披露するというプログラムで、いってみれば逆慰問のような感じだった。

盲学校だからいろいろな援助や招待を受ける機会が多く、慰問される側にまわりがちなところなのに、このプログラムは、障害者が健常者を慰問する形だったところがユニークに思えたものだ。

私は友だちの歌の伴奏をしたが、そのほかに、少しピアノのできる子に、当時流行っていたバリー・マニロウの『メモリー』という歌の旋律を教えて連弾した。「できる子が少しできない子を助ける、本当に美しいものを見せてくれました」とコメントされたのを覚えている。そして、このときも、たしかにすすり泣きを聞いた。

盲学校で一時間半にわたるピアノのコンサートをさせてもらったこともあった。私は仲良しだった先生のバイオリンと『ララのテーマ』などをデュエットしたり、日本の歌曲『さくら』や、歌謡曲『赤いスイートピー』『翼をください』を弾き語りし、最後に例の『メモリー』を歌った。

ふだんは奇声を上げたりわがままを言って泣きわめいたりしてコミュニケーションが難しかった重度の障害児たちが、私の演奏に長時間耳を傾け、歌が終わるたびに夢中で拍手してくれた。言葉への興味から訪れたアメリカで、言葉以外のコミュニケーションを経験するというのも、人生の不思議というものだろうか。

いま思うと、ユタの人たちは世界的にも知られる大自然に抱かれて暮らしていたために、無意識のうちに、言葉にとらわれないダイナミックなコミュニケーションを体得していたのかもしれない。

＊

大学に入ると、私はいくつかのサークルに加わった。とくに一年生のときは、フランス語劇で音楽を担当したり、文学サークルの同人誌で童話を発表したりしていた。でも、気がつくと、いつしか一つのサークルにのめり込んでいた。

それは、古楽器アンサンブルというサークルで、中世からバロック時代のヨーロッパ音楽を演奏するところだった。誤解を招かないように書いておくが、これはけっして、「オタクの集まる暗いサークル」ではない。オタクの集まりという点はある程度当たっているかもしれないが、サークルのメンバーたちはすこぶる朗らかで、それぞれ上手に個性を磨き合っていた。

とくに私には、入って一カ月もしないうちから「ダジャレー夫人（Mme d'Ajar-ais)」というフランスふうのあだ名がつき、「お前の駄洒落《だじゃれ》はおれが磨いてやる」という師匠までできていた。

使う楽器は、リコーダーやチェンバロ、フルートの原型であるフラウト・トラベルソー、ギター、リュートなどだ。リコーダーといっても、横笛でいうピッコロくらいの音域を出せるソプラニーノから、椅子に座って太股で支えないと吹けないほど大きなバスリコーダーまで、さまざまなものがある。材質も、しっとりと優しい音のローズウッドから、枯れて渋い音の梨材まで、演奏する曲によって違う。

このほかわが部室には、ルネサンス時代にヨーロッパで使われた民族楽器のクルムホルンや、小さいのに途方もなく大きな音の出る太鼓など、どこから持ってきたかと思うような不思議な代物もあった。

部室のテーブルでは、いつでもテープレコーダーから神秘的なメロディーが流れ、自称音楽マニアの先輩たちが、古楽談議に花を咲かせていた。

印刷の譜面が読めない私の入部は、多くの部員を戸惑わせたに違いない。

「入部したいのですが」と部室のドアを叩いたら、「どうしたらいいですか」と逆に質問されてしまった。自分がピアノをやっていること、譜面はテープなどを聞けば暗譜できること、リコーダーの指使いも知っていることなどを説明した。先輩たちはしばらく考えたが、「とにかくやってみよう。とりあえずはリコーダーで練習に入ってみて」と言ってくれたのだった。

こうして私は、同じ一年生の仲間たちに持参のカセットレコーダーを渡し、基礎練習を録音してもらいながら、少しずつ練習に加わり始めたのである。

秋の学園祭でバロック喫茶を開き、ようやくアンサンブルの出番をもらった私たちは、その年の暮れ、定期演奏会に臨んだ。

私は、ソプラノパートのリコーダーと、小編成のアンサンブルでのチェンバロの役目をもらった。もちろん、ピアノ教室でバイオリンやチェロの生徒との合同合宿に参加していた私にとって、アンサンブル自体は珍しいことではなかった。

けれど古楽は、楽器も音楽も素朴なだけに、ごく簡単な舞踊曲でもかなり練習しないと息が合わせられない。バイオリンとピアノなら、曲のリズムに乗ってどうにか合わせられそうなところでも、リコーダーとチェンバロでは、呼吸の仕方まで合わせないと、すぐにぼろが出てしまう。いきおい部員たちもかなり親密なやりとりをすることになる。放課後は夜八時過ぎまで練習を続け、真っ暗な師走の校門を、ぞろぞろとくぐって帰ったのを覚えている。

そしてここでも、私は音楽という言葉なき伝達手段が、盲人と晴眼者との間の垣根を取り除いてくれるのを感じていた。最初は一年生の仲間からも敬語で話しかけられていたのに、定期演奏会のころには、男の先輩からも「おい、麻由ちゃん」と呼ばれるようになっていた。アンサンブルのとき、「麻由ちゃん、なにか気づいたことある？」と聞いてくれることも多くなった。

夜までの練習の合間など、哲学科の先輩がつかつかと近寄ってきて、「麻由、魂のことをギリシア語でなんて言うか知ってるか?」と聞いてきた。笛の名手で誰もが一目おいている先輩なので、私は恐れおののいて「知りません」とつぶやいた。するとと先輩は、「プシュケーって言うんだよ。ところで麻由、人の体から魂が抜けるときって、どんな音がするか知ってる?」と言うではないか。そこでダジャレー夫人としては、側にあったリコーダーを取り上げて、「プシューッ」と音を出してお返事申し上げたのである。

私がアンサンブルから落ちないために、みんなはさまざまな工夫もしてくれた。なかでも嬉しかったのは、いちばん難しいスタートを合わせるために、初めの合図をすべて私にやらせてくれたことだ。指揮者が見えないのだから当然と言われるかもしれないが、正式な指揮者が決まっているのに、その人までが私の合図に合わせてスタートしてくれるのは、たいへんな配慮なのである。そのおかげで、どんな曲でもきちんとスタートを切り、舞台からは落ちたが、アンサンブルからは落ちずに済んだのだった。

「えっ、舞台から落ちたって、どうしたの、そのあとどうなったの?」と思われるだろうが、恥ずかしいので、ご想像におまかせしたい。

音楽を呼吸に至るまで分かち合ったとき、譜面が読めなくても、指揮者の動きが見えなくても、私はサークルのメンバーとしてしっかりと受け入れてもらえたのだった。

＊

現在私は鳥の声を楽しんでいるが、鳴き声は、人語による「聞きなし」で覚えたのではなく、鳥の歌をそのまま耳に残して覚えた、いわば「言葉なき歌」だ。そして最近、こうした聞き分けの楽しさと、小さな経験の数々を思い合わせることが多くなった。

それにつけても、人語を介さない、別の次元のコミュニケーションの存在を強く意識せずにはいられない。そして、言葉にとらわれずに野鳥と向き合ううちに、小鳥は、じつは途方もないさみしがり屋だということに気づいた。

『小鳥はとっても歌が好き』という詩があるが、私はこれを聞くと悲しくなる。鳥は美しい歌い手ではあるけれども、言い換えれば悲しいときも嬉しいときも、同じ歌に、少し表情をつける程度の表現方法しかもたないのだ。

いくつかの声を巧みに使い分けてはいても、小鳥たちの時間の大半は、楽しくないのではないだろうか。大空にさえずりを響かせる一瞬だけが、彼らが楽しいと感じるときなのではないか。そしてそれ以外の時間は、仲間との意思疎通に明け暮れ、小さな体でさびしさと闘っているのかもしれない。だから野鳥ファンの間では、「カモの顔はさびしそう」とか、「カケスの顔はきつい」とか、「バンはこちらを睨むようだ」という言葉が聞かれるのではなかろうか。

そういえば、私をフランス文学に導いた、二十世紀初頭の作曲家モーリス・ラヴェルも、そんな小鳥の表情を『悲しい鳥』というピアノの小品に作っている。ラヴェルの曲は、一つひとつの音を鼓膜の奥で響かせるようなところがある。だからこの曲のさびしげな透明感は、鳥の澄んだ歌がけっして「笑わない、笑っていない」ことを思い起こさせる、凄みをもっているような気がするのだ。

わが家のソウシチョウたちも、私がラヴェルの曲を弾くと、にわかにさえずりを交わし始めるのだが、彼らにもラヴェルの感覚が伝わって、急にさびしくなるのかもしれない。これは、私やラヴェルという人間を超えた、旋律と鳥とのコミュニケーションと言いたいような神秘的なやりとりだ、とひそかに思ってしまう。

こうしてみると、空を舞い、人間との間に厳格な距離をおくこの気高い生物は、エデンの園の雰囲気をいちばん濃く残している生物、つまり、もっとも神に近い生物の一つのような気がしてくる。

鳥がさびしさと闘っていると思うと、さみしがり仲間の私としては、彼らともっともっと会話してみたくなるのだ。

そんなわけで、いまは、鳥のシグナルを聞き分けるトリミミストや、中西悟堂氏の本に出てくる、鳥寄せ老人に憧れている。口笛を微妙に吹き分けて鳥を呼び寄せたり、迷った鳥たちのさびしさをまぎらわせてあげたいとも思う。

そうなると、いままでのように優しい言葉を発するだけの会話は卒業しなければならないことになる。そうして、人語による多少のコミュニケーションだけでなく、もっと普遍的で深い会話ができたらどんなに素敵だろう。

野鳥と出会ったことで、私は過去のコミュニケーションをこんなふうに整理し、これからは鳥を通しての、もっとダイナミックな伝達を考えてみたい、と思うところまで到達できた。その意味で、野鳥は私にとって、心的世界のフロンティアなのかもしれない。

自然からの便り

学校から帰ると、ひとつかみの雪がポストに舞い込んでいたことがあった。「自然から手紙が来た」と思った。詩心でも気どりでもなく、本当にそう思った。それが、雪を自然の一部と意識した最初の出来事だった気がする。

私は、東京生まれの東京育ちで、雪といえばいまだに、遊び道具の一つか通勤の妨《さまた》げぐらいにしか感じていないところがある。子どものころは晴眼の子どもと同じように、近所で雪ダルマやかまくらを作った。雪にジュースをかけてシャーベットにしたり、校庭では雪合戦もした。父のお古のスキーを鋸《のこぎり》で切り、そこに洗面器を取り付け、にわか仕立てのソリにして乗り回したこともある。

小学校高学年から高校三年までの冬期教室では、雪山に行き、初歩のスキーを練習した。でも、それはいつも決まった手順で過ぎていった。学校内でころび方やとまり方の形をシミュレーションのように繰り返してから、フィールドに出るのだ。だからどの年の教室も、あたかもシミュレーションの延長というか、なにか夢のように思えた。

それに、こうした教室には、校外から募集されたボランティアの学生さんたちが参加しており、数日間の彼らとの出会いも、夢の感触を強めていた。たしかにそこにはあり余るほどの雪が積もっていたけれど、ポストの雪を見たときのようなリアルな感触はなかった。スキー教室も、私にとってはやっぱり遊びだったのである。

とはいっても、生活のなかの雪をまったく知らなかったわけでもない。私の母方の祖父母は福島県会津の出身で、冬にも何度か遊びに連れていってもらった。

いちばんよく覚えているのは、明け方に突然地震のような大音響で叩き起こされたことだ。大地震でも来たかとあわてて跳ね起きたら、それは屋根の雪が地面に雪崩《なだ》れ落ちる音だった。しばらくして庭に出ると、今度は屋根から落ちてきた雪崩の下敷きになってしまった。幸い怪我もしなかったけれど、このときはじめて、大量の雪とはなんと硬いのか、と心から感じたものだ。

スキーなどで大量の雪が積もったところにも触っていたのに、なぜかそれまで、雪はふわふわしたきれいなものというイメージが頭を占領していた。触れる雪が遊び道具でしかなかったせいだろうか。とにかく私は、雪というと、いつまでも、絵本で見るような雪景色ばかりを思い描いていたのである。

もう一つ、雪には思い出がある。アメリカに留学していた十五歳の冬の日々だ。そのころ私は、ユタ州立の盲学校で朝の一時間を過ごしてから、近くのハイスクールに行っていた。ハイスクールに行くには、単純に言えば道路を渡るだけだった。でも実際には、信号まで五分ほど歩き、そこからまた校門まで戻り、芝生を区切るサイドウォークを歩いて校内へ入る。たいした距離ではないが、けっこう複雑な道のりだった。

盲学校からは、三人で一緒にハイスクールに行き、そこからそれぞれのクラスに分かれる。雪の日は、手をつないで歩ける道幅がないので、さながら遭難救助のように、互いの名前を呼び合いながら歩いた。

ある日、残りの二人が学校を休み、吹雪のなかを一人でハイスクールに行くはめになった。いつも信号を見張っているお巡りさんも、この日はなぜか休みのようだ。

私はなんの標《しるべ》もなく、白杖で雪をかき分けて道を探しながら、ゆっくり歩いた。ところが案の定、道をまちがえて、なにやらわからない歩道に迷い込んでしまったらしい。あたりは盛んに吹雪いていて、車がどちらから走ってくるのかも聞き分けられない。日本と違って、通りには車が猛スピードで行き交うばかり。道を尋ねる相手などいないのだ。

「外国で一人になってしまった。こんな身近な通学路で、遭難してしまうのだろうか」

一瞬、意識が遠のくような気がした。

そのとき、すぐ側の車道で車のドアが開き、雪をずかずかと踏む足音が近づいてきた。留学前に恐ろしい話を山ほど聞いていた私は、もう駄目だ、と観念した。殺される、と思ったそのとき、野太い男の声が、「どうした？　道にでも迷ったかい？」と尋ねてくれたではないか。私はその温かい声に思わず涙ぐんでしまった。

「ハイスクールに行くって、それじゃあ歩道が違ってるよ」

ほんの数メートルの違いで、別の分かれ道に迷い込んだのである。大げさに言えば、それは文字どおり、「生死の分かれ道」にさえ思えた。いま振り返ると、このころの日々が、生活に密着した雪にまつわる唯一の体験だったろう。

そういえば、ユタにいたときには「助けがいるかい」と、じつによく聞かれた気がする。こちらから助けを求めようにも、相手がどこにいるかわからなかったり、相手がいるところまでたどり着けないといった状況を、すっかり考えたうえでの優しい言葉だと毎回感謝したものだ。

こんなふうに声をかけてくれる人はいつも、頼まれなくても体を動かし、自分の手で私に触れて助けてくれる心構えがあった。もちろん、それはよく言われるように外国人だからというところもあるかもしれない。これがフランス人になると、「なんでも言ってください。たとえば……」と、助けの例題をたくさん並べてヒントをくれたりする。

日本人は時として、「言っていただければできる範囲のことをします」といった、一歩引いた言葉になる。こちらから相手の状況を思って、細かく説明して「言ってあげる」ようにしなければ、どんなに困っていても手が下されないことがかなりあるように思う。遠慮がすぎて、一種の無責任になってしまうことさえあるくらいだ。

けれど、ユタの人たちの優しさは、単にアメリカ人だからといったものではなかったように思える。それは、一歩間違えればその日のうちに遭難してしまうような、雪に埋もれた生活を分かち合う人たちの情とでも言いたいような、深く大きなものではなかったろうか。

実際、私は日本国内でも、ずいぶん積極的な助けをいただいたのを覚えている。北海道の稚内《わっかない》で、小さな喫茶店に入ったときなど、アルバイトの若い店員さんが、わざわざ出てきて私の手をとって案内してくれた。

また、やはり北海道のトマムに行く峠を越えていたときの経験も忘れられない。

夜の八時過ぎ、峠の頂上あたりでタイヤがパンクし、それを取り替えるのにトランクじゅうの荷物を出したら、真っ黒な鞄を闇のなかに置き忘れて発車してしまったのだ。

翌朝このことに気づき、あわてて例の峠に戻ってみると、ちょうどパンクしたあたりで誰かを待っていたお兄さんが、「なにか忘れ物しませんでした？」と尋ねてきた。「しました、しました！」と私たちが急いで車を路肩にとめると、お兄さんは私たちを、近くのペンションに案内してくれた。そして、食堂で待つ私たちのところに彼が持ってきてくれたのは、まぎれもない忘れた黒鞄だったのである。通りがかりの人が見つけて、このペンションに届けたというのだ。しかもお兄さんは、荷物の持ち主が問い合わせるのではないかと、駐在所にも連絡を入れておいてくれた。

「忘れた人が来るべと思ってさ、仕事しないで待ってたんだわ」と聞かされ、心底驚き、なんとも言えぬ熱いものがこみ上げてきたものだ。こういうことこそが、都会では忘れられかけている厳しい自然のなかの助け合いとでも言うものではないだろうか。

新潟では、道を尋ねた人が「車で何分です」と正確な所要時間を教えてくれた。相手のほうから近づいてきて、「助けましょうか」と語りかけてくれる雰囲気は、ユタで感じたものととても似ていたように、私には思えた。

こういう情は、外国と日本という枠を超え、雪という自然の大きな懐《ふところ》のなかで培われたものという気がして仕方がない。音楽やさえずりとは少し違うけれど、雪もまた、言葉を超えたコミュニケーションを作るものである。

ところで、ここ何年か、私は急に、旅情というものに目覚めている。わが家は旅行好きで、もの心つく前からあちこちと行ってはいたが、実際にはただ車に乗っている感覚しかなかった。車窓の景色の移り変わりなど気にも留めなかったので、目的地に着くまで旅行の気分が出なかったのである。もちろん、旅情などという言葉は歌の世界の話だった。

いま、その旅情をいちばん感じるのは、雪国に向かう途中かもしれない。

無機質な都会のインターチェンジからしばらく高速を飛ばし、二時間も走ったどこかのパーキングエリアに降りる。すると、そこにはもう別の空気がある。澄みきっていて、とても冷たい。吸い込めば森の匂いがする。もう少し行くと、今度は霧雨のようなものが降っていた。空気はシンとして、どこか鋭くなる。そして次に降りたところでは、もう大粒の雪が舞い降り、車に戻ったころには髪に綿帽子を被っていたりする。「トンネルを抜けると雪国だった」という、川端康成の視覚的世界を肌で感じる瞬間だ。

山並や平原を見渡したことのない私にとって、こういう移動は日本の広さと自然の変化の豊かさを実感させてくれる。さまざまな空気や滴りに触れるとき、地図でしか知らないものを全身で味わうのだ。そしてそれは、さながら晴れた空で雲ができ、凍って雪になる時間のプロセスを、地上を平行移動するだけで味わうようなものであるかもしれない。

普通ならそれは、空を見上げればわかることだろう。けれど私には、こんなに多くの距離を移動しなければ感じられない。旅に出て、風に吹かれ、雨に打たれ、雪を被るとき、自然の躍動のような、大きな息遣いを感じるのだ。

新雪を触ることも、不思議な旅情を誘う。尖った葉っぱに雪がまぶされ、まるで葉脈の形をした氷のお菓子のようになっている。岩に積もった雪が、指で確かめられないくらいの鋭角を作っているのも好きだ。新雪に落ちた滴りはそのまま真ん丸な穴を穿《うが》つ。指では絶対にわからない滴りの形も、雪の上ならそれがはっきりと確かめられる。けれど雪は、指で触れるとすぐに体温で解けて、もう最初の形が消えてしまう。そんなはかない雪の様子に触れると、本当に遠くに来たという気持ちになるのだ。

就職して間もなく、父のスキー旅行に便乗して何年かぶりに雪原を訪れたとき、私は不思議な発見をした。雪の匂いである。

それはどこか懐かしいような、埃っぽさと湿り気が混じったような、奥行きのある匂いだ。それは、いままでずっと忘れ果てていた匂い、もの心ついて以来のすべての雪との思い出を蘇らせる、時の匂いだった。

自然にはいろいろな匂いがある。山や海にも、スケールの大きな匂いがたくさん詰まっている。けれど、そのなかでも雪の匂いは、雪の思い出そのものが特別だったせいか、私にはとりわけ心に残る匂いになった。

きっと、誰もがそんな匂いを心に秘めながら生きているのだろう。そして、そんな匂いをいっぱいもっている人は、とても幸せなのかもしれない。

庭、不思議な出会いと別れ

大学受験を終えた日、ひさしぶりに庭に降りた。小学校高学年のときに庭で飼っていたウズラが死んで以来、ずっと足を踏み入れていなかった気がした。

庭は、小さいころから、私にとっていちばん安心できる遊び場所だった。だから無意識のうちに、庭をこよなく愛していた。けれど、幼稚園から国立の盲学校に通った私は、受験勉強やクラブ活動に忙殺され、庭は子どものころの記憶とともに、いつしか脳裏からすっかり遠ざかっていた。

この日私は、大学に入れるまでは書かない、と決めて一年間閉じたままだった日記帳を持って庭に降り、意味もない独白を書きつけた。そしてなぜかこの日から、庭がふたたび、大事な場所となっていったのである。

玩具に興味を示さない子どもだった私は、庭で遊ぶことが好きだった。友だちと自転車を乗り回すとか、ブランコに乗るという遊びも好きだったけれど、遠出をしないときはいつも庭ではしゃいでいた。石に座って何人かの友だちと替え歌を合唱したり、ビニールプールに水を張って飛び込み遊びをしたり、あるいは土を掘り返してトンネルや秘密基地を作ったりもした。砂場の砂と違い、土は掘るごとにとても形よく落ち着く。だから大きめの建造物もできるのである。

わが家の庭は広くはないが、母の趣味で草花や花の咲く木があり、ままごとの材料にも事欠かなかった。

それに、木の柱に物干し竿を渡した素朴な鉄棒や、二階のベランダからロープでタイヤを吊り下ろしたターザンなど、いくつか親の手作り遊具があった。ままごとやプールに飽きると、私たちはそうした小さな遊具に飛びつく。おなかがすけばすぐに食べ物をとりに行けるし、指先を怪我すれば、すぐに親が手当てに駆けつけてくれる。庭には、そんな安心がいっぱいあった。思えば庭は、いつも私の側にある、本当はとても大事な場所だったのである。

ところで、就職して間もないころから、わが家では「ソウシチョウの放し飼い」

という遊びが始まった。このころには、庭はふたたび、私の生活に欠かせない空間となっていた。

まず、庭に植わっている二本のツバキの木を支柱にして、直径四メートル、高さ三メートルほどの金網小屋を作り、そこにソウシチョウの番《つがい》を放した。

木の根元には、ヤブの好きなこの鳥が隠れられるよう、小さなお茶の木やサザンカを植えてブッシュを作り、家屋からいちばん遠い隅の地面に水盤を埋め込んで水浴び場をしつらえた。

小屋のこちら側の面には、私たちが手を入れて餌や水の手入れができるよう小さな窓を切り抜き、それを塞ぐ網は洗濯ばさみで留める。餌箱や水入れは枝に吊るし、大好物の補助餌のミルウォームを入れる空き箱も用意した。

はばたく余裕のない鳥籠よりはましという程度のものだが、それでも羽を広げて飛び回ったり、ヤブのなかを駆け回って遊ぶ小鳥たちの姿は、本当に愛らしかった。時には出入り口から外に出し、放し飼いにしても、呼べばちゃんと戻ってくるし、時間になれば自分から小屋に入ったりもする。枝で休んでいても、声をかければ興味津々で木の上から降りてくる。換羽のころには、庭に続くサッシを開けると、あわててツバキの木のなかに潜り込む。

なによりも、二羽揃ってミルウォームを手から奪い取って食べるのが可愛くて、私は暇さえあれば庭に降り、ソウシチョウにお相手してもらうようになっていた。

さて、そんなことが三年も続くと、小屋のなかにも草が生え始め、ときどき黒土を入れて整地した小屋の地面に落ちた鳥の糞を肥料に、どんどん繁ってきた。そして、そこにミミズやカエルが姿を見せるようになり、ついにはセミまで生《は》えてきた。気の毒に、小屋に生まれたセミはすぐにソウシチョウの朝食となったようで、小さな抜け殻が網に摑《つか》まっている。これは人災というのか、セミには悪いことをしたものだ。

この小屋にカナリアの籠を入れ、ソウシチョウと一緒に飼育したこともある。このときは、カナリアが盛大にこぼすアワが土から芽吹き、モヤシのような草が一面に生えてきた。

こんなに小さな庭、こんなに小さな小屋なのに、そこにはちゃんと生態系がある。飼い鳥の愛らしさもさることながら、庭の自然度が日を追うごとに高くなっていくさまに、不思議に感動していた。

さて、ここまではよかったのだが、四年目の夏、とうとうこの自然度を楽しんでいる場合ではない事態が生じてしまった。

ネズミが登場したのである。

ネズミ捕りをしかけたりもしたが、なにしろこのごろのネズミは口がおごっていて、生半可な餌では引っかからない。そのうちに、子ネズミまでが交替でやってくるようになり、小屋に侵入しては愛鳥たちの餌をくすね始めたではないか。「これはまずい」というので、私たちはやむなく小屋を撤去し、ひとまず庭じゅうに踏み石を敷き詰めたのだった。

すると今度は、ネズミの代わりとでも言おうか、鳥籠を洗う水を目当てにカタツムリが現れた。ヒヨドリの糞から草の芽が出、何気なく植えたスズランがどんどん増える。草が生えればネコも糞をしに来なくなるという、おまけまでついた。

こうして鳥小屋がなくなっても、庭の自然度は健在そのものであった。

こんな観察を重ねるうちに、私にも好きな庭というのができてきた。

たとえば、東京都あきる野市にある老舗《しにせ》の茶屋の庭がそうだ。ここは、渓谷の一部をそのまま手入れして庭園にしたところだ。川にはカワガラスが繁殖し、夏にはオオルリやカジカが美しい声を張り上げる。水車や太鼓橋のような人工物もあるのだが、それらは渓谷の自然に溶け込んで違和感がまったくない。作った庭というより、自然を拝借した庭、つまり借景といったところなのだ。

もう一つ好きなのは、ホテルや旅館の裏庭だ。それも、玄関前のしゃれたポーチではなく、仕切りもない、山に続いているようなところがよい。どちらかと言うとあまりきれいではない裏庭でなければ駄目なのだ。

こういう庭には何種類もの植物が乱雑に生えていて、動物の隠れ場所や餌になる木の実が豊富だ。だから、下駄履きで散歩に出る私たちにも、裏山の自然を切り取ったような素晴らしい場面を楽しむことができる。

たしかに、早朝ホテルの一室で窓辺に立つと、裏庭から多種多様なさえずりが聞こえてくることも少なくない。そして面白いことに、そのさえずりに誘われてホテル前の道路を歩いてみても、裏庭ほど鳥の声のにぎやかな場所に行き着けるときはないのである。

ところで、わが家の庭で忘れられない出会いを味わったことがある。それは、鳥小屋を撤去してからずいぶん経った、ある日曜日の昼下がりだった。

庭のほうでなにやら聞き覚えのある声がするので降りてみると、それはまぎれもないソウシチョウだった。それも、知らない鳥が迷ってきたのではない。少し前に籠抜けしたソウシチョウだったのである。ソウシチョウは一羽ずつ歌が違うので、私でも簡単に区別がつく。

名前を呼ぶと、案の定パタパタと羽音が近づいてきた。ミルウォームを手に載せて呼ぶと、今度は手元に小さな風が起きた。懐かしい嘴が、力を込めて虫を啄《ついば》む。「お帰り！」と何度も繰り返すと、そのたびに「チュン、チュン」と地鳴きで返事をするのだった。

何度か籠に戻そうとしたのだが、ふとしたタイミングで外泊の楽しみを覚えてしまったこの鳥は、もう籠には入らなくなっていた。

折しも日が伸びてくるころで、私は毎日、勤めから帰るとまっしぐらに庭に降りるようになった。小鳥は、もう戻っていて、水浴びなんかして、人心地つけていたりした。

そして夕方、日没ぎりぎりまで私たち家族のお相手をしたあと、「行ってもいいかい？」と尋ねるようにこちらを何度も振り返ってから、まっすぐにどこかの塒へと飛び去るのだった。

そんなことが一カ月ほど続いただろうか。ある日、もう日没だというのに、ソウシチョウが去ろうとしない。見ているせいかと思いながらも、虫の知らせに似た不安を覚えつつ、「お休み」と言いおいて庭に面したサッシを閉めると、庭は急に静かになった。

しばらくしてまたサッシを開けたときには、もう鳥影もなかった。まるで、さよならを言いに来たように思えた。

そして翌日の夕方、「もしかしたら」という絶望的な期待とともに庭に行ってみると、やはり小鳥はいなかった。あの不安が的中してしまったのだ。そしてさらに翌日、気温が急に上がり、空は走り梅雨の気配となった。

私は、あえぐようにソウシチョウを待ちながら、日に何度も庭を見に行った。近所への恥も忘れて大声で名前を呼んだり口笛を吹いたりした。けれど、小鳥はあの日以来戻らなかった。

もう、会えることはないのだろう。最後の望みまで消え去ってしまった。やはりあれは、「行かせておくれ」という別れの挨拶だったという気がしてならない。そして空は、押しつぶされた私の心に一段と圧力をかけるかのように、どんどん梅雨雲に覆われていったのである。

このことがあってから、それまでにもまして庭を意識するようになった気がする。思い立つと、なにか不思議な出会いはないか、などとふらりと庭に降りたりする。

そういえば小さいころ、野山の自然はあまりに大きく、盲児の手には触りきれなかった。けれど、庭は手に負える玩具だった。大きくなるにつれ、庭は野山を思わせる自然の切り抜きとして、いつも私の側にある。しかも、いま思うと、その庭で培われたさまざまな思い出や気持ちが積み重なり、庭はいつしか、私という小さな人間を育んだタイムカプセルのような場所になっていた。

そこに行けば、人間本来の姿に還《かえ》ることができるばかりか、時には不思議な出会いがあったりする。そしてそこから大きなエネルギーをもらい、現実の世界に戻ることができるのだ。

野鳥と「さし」で

二、三年前の十月、私は愛知県伊良湖岬《いらごみさき》に、タカの渡りを見に行った。明け初めの稜線から三千羽以上のタカが湧き出るように現れ、上昇気流のとおりに螺旋形《らせんけい》の鷹柱《たかばしら》を作る。そして、ひと声も発することなく悠々と海を目指して飛び立ち、南方へ消えていく。その姿はさながら進軍する戦士を思わせる勇壮さと悲壮さをたたえていた。

全盲の私にはもちろん、彼らの様子を直接知ることはできなかったが、岬一帯に満ちた殺気のようなものを感じ取ることは十分できた。だから幾千のサシバやハチクマが渡る姿を戦士だと直感的に書いたのである。

ところで、サシバは鷹柱となって海へ向かってはいくが、本当に群れで渡るわけではないそうだ。ガン、カモ類と違って、タカは飛翔時に互いに助け合うわけではないのだ。彼らはつねに一羽で飛び、はばたきながら上昇気流を探しては海越えをする。

海上では、一羽一羽の距離が百メートル近くもあるというから、孤独な旅である。そうして何日も飛び続けたあげく、到着した沖縄や台湾では疲れた鳥を狙う卑怯な密猟者たちが待ちかまえているとまで聞けば、ただごとでないという気分になってくる。

そんなことを考えながら、波音のはるか上空を滑空する彼らを想像するだけで、私は自然のスケールという、大きな視点を取り戻した気がした。自然は絶対で、弱肉強食といった食物連鎖の頂点にいるワシ、タカでさえもそれを制御することはできない。彼らはいわば、天敵のような危険な存在として自然と正対している。自然と「さし」で向き合っているのだ。

私はそのことに、ある種の畏敬の念をもたずにはいられないのである。

この時期は、タカだけでなくさまざまな小鳥も塒を移す。彼らもまた、群れを作っては海を越えて南進していく。いつもは甘ったれた声で助けを求めるように鳴いてばかりいるメジロが、十五、六羽、鋭く張りつめた声で「チイッ」と鳴き合って飛ぶ。ヒヨドリたちは、ふだんは公園で、私たちの投げるパン屑を、フライキャッチでとらえるのが得意な剽軽《ひょうきん》ものだ。

ところが、その彼らも伊良湖では、ハヤブサの襲撃をかわすために、一丸となって空から海面に急降下するのだ。どこでそんな知恵を身につけたのだろうか。だがそれは、伊良湖岬で繰り広げられる雄大な渡りのドラマのほんの一端にすぎない。この地に現れたどの鳥も、日常とはまったく別の雰囲気を見せていた。

これまでにも私は、鳥の声を聞き分けることを覚えたおかげでさまざまな発見をしたが、伊良湖岬では、「自然と真剣に正対する」という一つの生き方に出会ったのだった。

鳥たちを通して自然を知った私は、都会に帰っても自然界の存在を意識し、脳裏でそれを疑似体験することができるようになった。すると不思議なことに、社会人になり、仕事や生活に忙殺されて失いかけていた集中力が、戻ってきたように思うのだ。

これまでにも私は、ピアノを弾いたり、簡単な手芸や効果音のテープを作るといったことで、日常生活からの気分転換をはかってきた。小さいころからピアノに向かえば、何時間でも集中していられたし、カセットテープを通して音を作っていると、一日がすぐに過ぎていった。遊びと勉強だけしていればよかった学生時代には、これでも十分心が活気をもっていた。

だが就職すると、慣れない仕事そのものに集中するだけでなく、人間関係や雑務、会社との往復での消耗など、一時にいくつものことに気を遣わねばならなくなった。

実際私は、朝五時半ごろに起き、片道一時間半近くかけて電車を乗り継ぎながら会社に行く。手引きをしてもらった縁で素敵な友人を作ったり、出会った人びとに耳寄りな情報を聞くこともある。でも一方で、酔っぱらいや乱暴な少年少女にからまれたり、点字ブロックの上に立っている男性に、それとは知らずにぶつかって殴られたりといった、悔しいこともある。

そんなときには、集中力を持続させることさえ難しいし、気を抜ける瞬間がほとんどない分だけ心もすさむように思えた。こうして、とくに入社の年は、私の心はとても厳しい状態に追い込まれていたのである。

しかし、山野に鳥を聞き、彼らの歌から自然の全容をとらえるようになるにつれ、私の気持ちに少しずつ余裕が出てきたのだ。最初はただ、自然に感動しているからリフレッシュしたのだと思っていた。けれども、そうではなかった。じつは、人間とか動物などという生物的な種の枠を超えるダイナミックな視点をもつことで、より高い次元の集中力が出てきたのだ。

鳥は命をかけ、存在をかけて自然と「さし」で向き合っている。それを肌で感じるとき、心は解き放たれ、ある種、無心の状態になるのである。

さらに不思議なのは、自然界の厳しい姿を知ったことによって、私はいままで以上に、どこにいても自然を体験できるようになった。

私はそれまでも、ピアノを弾くことでずいぶん気持ちをほぐしてきた。また、音楽を聞いたり、自分の弾いた音楽を頭のなかで繰り返せば、リフレッシュできると思っていた。だが、ピアノはやはり人間が作った楽器なので、これに手を載せて奏でなければ、実際に心が活気づくところまではいかないらしい。

ところが自然体験の場合は、実際に足を動かして山野を放浪しなくても、一度感動を覚えておくと、それを思い出すだけで、ふたたび山野の息吹を疑似体験することができる。頭のなかのバーチャル・リアリティーとでも言おうか。車内でもオフィスでも、あの自然の息吹を思い出すと、ちょうど音楽を奏でるときのように、脳の別の部分が動き出すような気がするのだ。そのうえ、なにか気に障ることがあっても、人間の言葉を木の葉の揺れる音だと思うようにしてみたり、さまざまな事象も人間界という一つのかぎられた空間の出来事にすぎないのだ、などと急に悟ることも多くなった。

このようなことを言うと誤解されるかもしれないが、けっして人の言葉を聞き流す、というのではない。私自身が、自然のなかの、ごく小さな生きものだ、と思えるようになったということなのだ。

それはきっと、私が自然から生まれ、いつか自然に還ることになっているから、また自然がいまこの瞬間も私の命を育んでいてくれるからだろう。そして、音のしない花や連山から自然の息吹を得ることができない私にとって、そうしたものを体験させてくれるのが鳥なのだ。しかも彼らは、こうしたことを無償で教えてくれる。なんとスケールの大きい奉仕だろうか。

こんなふうに考えているので、私には、自然はまさに持続性のあるカンフル剤となっている。

さらに、私は飼い鳥を通して、相手を尊重するという貴い姿勢を学ばせてもらっている。

籠で鳥を飼うことにはいろいろな見方があろう。たしかに私も手放しでこれを楽しんでいるわけではない。ただ、単身ではなかなか自由に探鳥に出られない私にとって、飼い鳥は貴重な自然のメッセンジャーでもある。だから、どうか許していただきたい。放し飼いについても、ただむやみに放しているのではなく、ほとんどの場合は帰ってきているので、この点もご安心いただきたい。

話を戻そう。一人っ子だった私は、躾《しつけ》こそ厳しかったものの、障害児だったこともあってかなりわがまま放題に育てられた。一つのことに夢中になると、ほかのことをかなぐり捨ててしまう性格も手伝って、周囲を戸惑わせることも多かった。

それが飼い鳥とつき合うようになってから、自分のすべてを忘れて相手を気遣うことを覚え、ごく自然に実践し始めていた。もちろんいまでも、それが十分できているなどとは言えない。とくに父や母に対しては、私は相変わらずわがまま娘だったりする。けれど飼い鳥とつき合うようになってから、彼らの安全と気晴らしを願う一心で、風向きから気温、湿度、籠の向き、日の当たる方向、テレビの音量や水の温度まで、つねに細々と気を遣うようになった。

そのおかげか、人間界でも、人びとの言葉に隠された意味や心の内側を、以前よりは深く感じるようになっている気さえする。

もう少し突っ込んで書くと、こういう思いやりは、ただ小さな鳥を可愛がるという、ペット愛的なものとは少し違うと思う。私は鳥の行動に全面的に合わせているのであり、鳥の意思を尊重しているだけのことで、ある種の優越感を伴ってひたすら可愛がるのとは、全然違う気持ちをもっている。

たとえば、わが家には数羽のソウシチョウがいる。こちらの語りかけに「チュン」と返事をしたりさえずり返したり、あるいは手から直接餌を啄むほど慣れているのが二羽。残りは半慣れだ。

呼べば振り向いてのぞいたり、様子を見に降りてきたりはするが、ある線より近くにはけっして来ない。だが彼らは慣れの度合いと関係なく、私たちが差し入れる水や餌を信頼している。そして、私たちが絶対に害を加えない相手であることを、ちゃんと心得ているらしいのだ。

半慣れのソウシチョウのうち二羽は、庭のツバキの木を柱にして作った金網製の小屋に放し飼いにしていた。放し飼いと言ったのは、ふだんは大きな籠と変わらない飼い方をしているのだが、時折二羽とも散歩に出すからだ。

番《つがい》のソウシチョウはとても仲良しで、ほとんど四六時中一緒にいて、羽づくろいをしたり地面をつついて遊んだりしている。小屋の小窓を開けると、この二羽が揃って飛び出し、時にはまっしぐらにどこか遠くへ行ってしまう。影も形も見えなくなるような日は、本当に帰ってこないのではないか、と家じゅうで心配する。

ところが、この二羽が時間を正確に守りながら帰ってくるのである。午前中に放せば十時か正午、昼ごろに放せば午後三時ごろといったふうに、二羽してちゃんと小屋に入り、とまり木にお座りしている。時には、戻ってくるなり水浴びを始めたりする。飼い主としては、こんな瞬間がたまらない。鳥でなければ、ぐっと抱き締めてほっぺにチュウしてしまいたいところだ。

中西悟堂氏は、著書『定本野鳥記』のなかで、鳥は人間が危害を加え続けたから逃げるようになった、と指摘している。そのうえで、育雛期《いくすうき》から信頼関係を作っておけばけっして逃げたりしない、と繰り返し書いているのだ。また、鳥を外に解放した放し飼いも、一定の時間が経ったら声に出して呼び戻すことを習慣づければ、たいていの鳥で可能だとも書いている。

わが家の場合は育雛期からではなかったが、幼鳥期からこんな遊びをしたことになる。

こんなふうに鳥に遊んでもらっているうちに、慣れた鳥も慣れない鳥も、同じように可愛いと思っていることに私は気づいた。彼らのすることなら、怒りの表現でも拒否の姿勢でも、私たちに対する警戒行動でさえも、たまらなく愛らしく思える。これが単なるペット愛とは違う気持ち、つまり、鳥を「尊重すること」、鳥と「さしでつき合うこと」なのだ。

そんなわけで、鳥は私の人生観をすっかり変えてしまった。鳥と「さし」でつき合うなかで、私は相手を完全に受け入れながら、現在にとらわれないスケールで生きることを目指すようになったのである。それは、障害者ゆえに社会の小さきものと言われがちな私が、食物連鎖のなかの小さきものである野鳥から学んだ、大切な生き方なのだ。

ポワン・ポワン

水の景色

いま思うと、私はかなり奇抜な絵本の読み方をしていた。たとえば、ヘンゼルとグレーテルが歩いた夜の道は、いつも自分が通るようなアスファルトでできていると思っていた。それから森は、スイセンの葉っぱが集まったような感じのところで、闇というと、空気が重くなる感じに思えた。

とにかくなんでも感触だった。どう考えても感触なんてなさそうな空も、和紙のなかに生《なま》の餅を包んだような弾力のある感じだと決めていた。月や星まで、冷たくない氷のようなものだと決めていた。絵本に出てくる景色は全部、広さも大きさも温度もない感触だった。

私の日々は、このようにとらえどころのないものだった。

目がどうなったか、痛みはどうだったか、という記憶もないままに、いままで見えていたものが見えなくなった。それに、手術が行われた数時間のうちに見えなくなったショックのせいか、その病院での記憶、失明の記憶もほとんどない。ただ友だちがいちばん腕白に遊んでいるときに、ベッドの上で母にいろいろな絵本を読んでもらったことは覚えている。

絵本だから外国の景色や美しい自然が出てくるので、私はそれを全部、漠然とした感覚的なイメージで聞いていたと思う。感覚といっても、四歳の子どものイメージなんて、どれだけわずかなものか想像に難《かた》くはないと思う。

だから私の景色のなかでは、ヘンゼルたちがアスファルトの道を歩いてしまったりする。森のなかの小道というイメージ、思い出は、そのころの私にはまだなかった、ということである。『ジャックと豆の木』では、太い幹を梯子《はしご》を登るようにヒョイヒョイ登っていくと、いきなり玄関の上がりがまちにたどり着き、そこを上がると、これまたいきなり大男がいるといった具合。そんなふうに、病室でたくさんの本を読んでもらい、知識を蓄えながら、妙なイメージばかりを思い浮かべていた。

言うまでもなく、そんな知識はどれも、いま自分が触っている現実の世界とは結びつかない。そのうえ、ある日突然、病室という鳥籠に入り、家や道といった普通のものまでが、頭の隅で想像するものに変わってしまったらしかった。

退院して外を駆け回るようになっても、私はまだ、鳥籠で夢中になって歌っているときのカナリアのように、周りのことを、なに一つ意識しない子だった。もっと正確に言うと、それまで見えていた世界が突然、暗闇に変わったショックで、毎日がただ虚《うつ》ろに過ぎ、生活感がなかったのかもしれない。

たとえば近所の子どもたちと自転車を乗り回すとき、「ここを右に曲がれば○○ちゃんちに着く」などと道順はよく覚える。だが、曲がる場所がT字路か十字路かという全体像は考えない。電車に乗っても、周りの景色を見ないので、本当に前に進んでいるかどうかははっきりしない。ただ次は最寄り駅だと言われるから降りる。車やバスも同じで、私には「距離をこなす」とか、「広い場所を越える」という実感がまるでなかった。

空間認識もひどいものだった。

たとえば窓を閉めた車に乗っているとする。車が角を曲がっても、私には車体が少し傾いて、また元に戻ったという感触しかなかった。曲がったという感じがしないのである。もちろん、ウィンカーの音がするから、曲がったんだなとは思うけれど、それはただの理解だった。大きなカーブなら大きく、小さなカーブなら小さく、乗った車は傾くだけなのである。窓を開けても、外のことなど気にも留めない私には、やはり曲がったと思うことはなかった。

ところが、自分で自転車を乗り回しているときには、この曲がる感覚が、じつにはっきりわかる。ハンドルを切るからではない。周りの壁の感じが変わるから、わかるのだ。だから、車に乗るときはいつも、「どうして自転車はちゃんと曲がるのに、車は曲がらないんだろう」と、途方もない疑問を頭のなかでころがしていた。ひと言で言えば、私にとっての空間は、いま自分がいる点でしかなく、世界のすべてがいままで言うシミュレーションみたいな、ふわふわした日々だった。

もう少し大きくなって、遠足や野外教室で野山に行っても、この超温室育ちの世界観は変わらなかった。

きつい山道を登って頂上に着いても、達成感もなにもなく、ひたすら「ゼエ、ハア」と疲れていた。先生に手を引かれて、ジグザグに沢を渡りながら細道を登っているときも、「どうして川が右に行ったり、左に行ったりするんだ?」と、のんきなことを考えていた。自分が橋を渡ったから、いままで左に聞こえていた流れが右から聞こえるようになった、という仕組みが、頭を素通りしていたのだ。

だから、「広い野原です」「深い森です」と言われても、オデコの先で聞き流している。大人から見れば、ずいぶん反応の悪い子どもだったに違いない。

夏休みにはじめて海水浴に行ったときも「広い海だよ」と言われて、「そう」とだけ思った。「広い」と言うから「広いんでしょ」と思ったのだが、両手を広げたぐらいのプールで、効果音に使う豆粒が行ったり来たりする音を聞いているような気分だった。

ひと言で言うと、私は「空間」ではなく「ポワン（点）」で生きていた。そのころの私の生活には全体という文字がない。三百六十度という考え方も、立体というものも、すべて算数で習う仮想現実みたいだった。

自分ばかりか、自分の立っている世界もポワン、いま歩いている道もポワン。屋根も地下街もそこにあることは知っていても、私にはなんの関係もない。野や山も、点が集まった直線にすぎなかった。大人になっても、それはあまり変わらなかったように思う。

それに、下手《へた》な人生観などをもつと、なおいけない。「私には景色を楽しむのは無理だし……」などと悲しい悟りを開き、いま、手に触れられるものからだけ、じつにささやかな楽しみをもらっていた。だから、景色の話題はやや気詰まりだった。

ところが、数年前に北海道を訪れたとき、突然、水の音を聞いて山の景色を感じてしまった。

最初の経験は、知床《しれとこ》のオシンコシンの滝を上から見たときだ。

急斜面の天辺《てっぺん》で車の窓を開くと、目の前からはるか下方に、堂々たる水流が落ち込んでいた。眼前の水音はほぼ直角に落下し、想像もつかない深みで消える。目で見れば、さながら地平線を見るような距離を感じさせる音だった。

海や滝壺からでは、この音の動きは聞けない。下からでは、ただザアザアと轟音《ごうおん》が続くばかりで、距離も高さもわからないのである。森深い山から知床の海に落ちる滝、このとき私は、その高さを音で感じ取ったのだった。

それまでただ漠然と思い描いていた景色の大きさが、滝の音を聞いたとたんにズズズイーッと頭の芯に伝わってきたのだ。さながら、ジャングルをさまよっていて突然、野っ原に飛び出したように、頭のなかの視界がグワワワワアンと広がった気がした。

水の音を聞いていると、周りを取り囲む山河を目で見なくても、斜面の高さや谷の深さが、手にとるように伝わってくることがわかったのだ。海を見ても「フン」、山を見ても「フン」だった頭の反応が、このときを境に「オッ、オオー！」に変わった。

そして数年後、野鳥の聞き分けや植物の揺れる音を覚えると、今度はそれが驚きの域を超え、「ホオーッ」という静かに嚙《か》みしめるような感動になった。

水の音から「景色を聞く」ことを覚えるまでは、風が冷たいとか空気がおいしいとか、海の水が塩辛いとか温泉が温かいとか、とにかく自分の五感に直接触れるものでしか自然を楽しんでいなかった。それが北海道での事件以来、自分には絶対に手の届かない景色からも自然を満喫するようになったのである。

けれど、それからしばらく、私は野鳥の声の聞き分けに夢中になり、一時、水への興味が薄れていた。

野鳥を聞き分ける面白さは、ただ鳥の種類や彼らの生活を聞き取ることだけではない。鳥の種類はもちろん、声の聞こえる位置や距離によって、その森の樹種や深さ、河原の様子や紅葉の進み具合などがわかるのだ。

そうやって植物層がわかると、たとえば笹原が風のとおりになびいて音が動くことを発見する。すると、いままではただ「吹いてくる」だけにしか思えなかった風が、「笹原を渡る」風に変わった。もちろん私の聞き方が変わっただけなのだが、私には風そのものが変わったような気がしたのである。

秋にカラマツ林に入っても、以前ならただ、そぞろ歩きばかりだったのが、耳を澄まして木の実の音を探すようになった。シメなどの鳥がパチッと実をつぶしたり、松ぼっくりがストン、と腐葉土《ふようど》に落ちるといった音だ。私はそういうことが面白くて、バードリスニングと同時に、シーンリスニングのようなことも楽しんでいた。

一、二年経つと、私は野鳥を通して山野や森の景色をかなり理解できるようになった。景色がわかると自然が好きになる。すると、どうだろう。それまで一瞬忘れかけていた水の音が、いままでとは違う方向から聞こえ出したではないか。

それは新潟県津南《つなん》町で雪解け水を聞いたときだった。季節は五月、折しも雪解け真っ盛りの時期で、斜面という斜面の至るところから水がほとばしり、地面という地面にあふれ出ていた。山はもちろん、通りにも隧道《すいどう》にも、側溝からも、あふれた水があり余って流れてくる。隧道の天井からは滴《したた》りがかぎりなく落ち、その上の斜面を流れる水音が轟々と響いてくる。隧道のなかから聞くと、まるで地鳴りのようだった。

宇宙全体から水が迫ってくるような音をたて、水流がたたみかけるようにこちらのほうへ下りてくるのだ。自分の立っている場所が流されないのが不思議なくらい、そこには見渡すかぎり水があった。

雪に閉ざされて眠っていた山は、春を告げて呼吸を始める。その呼吸は大いなる水を放出する。噴き出された水の音は、擂鉢《すりばち》の底に立つ私を包むように、あらゆる方向からこだまし、大地を呑み込む勢いで動いていた。

もはや、それは水などという無機質なものではない。それは大地から生まれる生命の泉、すべての生命のもとを育むエネルギーそのものだ。その直中《ただなか》に立っていると、さながら聖書で言う天地創造に立ち会っているようだった。そこで聞いた水の音は景色を彩る、などというなまやさしいものではなく、それはまさに大地の音、山の鼓動だった。

いまでは、雄大な景色を知らなかったことが嘘のように、私は自然のなかに入っていきたいと思うようになった。言葉の説明がいらないとまではいかないが、それでもかなり正確に景色を感じ取っているらしい。

おかげで私は、自分の力で自然を満喫できるだけでなく、景色へのコンプレックスを感じることがずいぶん少なくなった。

鳥の声なら晴眼者より早く聞き分けられることも多いし、「あのへんの渓谷は深いね」などと、いっぱしのやりとりもできるようになった。そしてなにより、情報不足の私にも自然が、水音や、鳥の声を通して語りかけてくれることが嬉しい。それがわかって、私の心がどんなに解き放たれ、どんなに自信を取り戻したことか。

病室のベッドから自然界への長い道のりの視界が、いまやっと一つ開けたような心持ちである。

墨とすみと炭

なぜか、いつも墨が側にある。それはたとえば、自宅の庭や毎朝屋根に集まってくるスズメのようなもので、気がつくと手元にあるのだ。

とはいえ、墨との出会いはあまりよい思い出ではない。小学校の夏休みに、自由学習とは別に「夏休み作品展」に出展するための宿題で、習字を選んでしまったからかもしれない。作品はなんでもよかった。だから、空き缶や箱でロボットを作ったり、紙を切り合わせてパズルを作る子も多かった。が、その年私は、習字で「あさもや」と書いて提出することにした。

ところで私は、そのころはじめて、漢字も含めた墨字を勉強する機会に恵まれていた。本当なら、教科書の「触る図」に出てくる、いくつかの文字しか知らずに終わるところだった。だがちょうどこのころ、オプタコンという触読機が輸入され、それを習うことになったのである。漢字の勉強は、そんな流れから始まった。

もともと私は、鉛筆でものを書く音に人一倍憧れていた。だから幼稚園のころから、近所の友だちのまねをして紙に鉛筆を走らせては、一緒に字を書いている気になっていた。親にせがんで、使いもしない筆箱セットとノート一式を買い揃えてもらい、ランドセルに忍ばせて盲学校に行ったこともある。

四年生の春から、年に何日か、地域の小学校に体験入学ができるようになった。それまで何年も日の目を見なかった筆箱セットを大威張りで取り出して、その日の書き方の授業に臨んだものだ。そしてその年の夏休みに、普通学校でみんなが話していた習字とやらに挑戦することにした。墨字に憧れる私としては、とにかく墨字ひととおりにかかわってみずにはいられなかったのである。

とはいえ、それまではビニール用紙にボールペンで強く線を引いて文字を浮き上がらせる、特殊な道具で書き取りを練習していたのだから、実際には鉛筆もまともに持ったことがなかった。そんなわけで習字となると、まず手首を使ってものを書くやり方から始めることになった。なにしろ夏休みの何日かで仕上げるのだから、かなりの難題だ。

まず、水に浸した筆を新聞紙に当てながら、直線の練習が始まった。「あ」の字の最初の線である。

「腕を動かさないのよ。手首だけで向こうまではねてね」

母が何度も手をとって教えた。だが私には、スナップの原理がわからない。そのうえ、はねても線が引けるということ自体が、信じられなかった。筆が紙に触っている間はまだよいのだが、このはねでは、自分の引いた線の行方がわからない。だから心配で、どうしても腕を使ってしまうのだった。

次に曲線を練習した。はねの応用である。だがこのころになると、もう半ばやけになり、線の行方などどうでもよくなっていた。それでとにかくはねてみたら、不思議なことに、「まあ上手にできたこと」と言われたのである。目を使わずに習字をやるには、自分の線をフィードバックするのでなく、ひたすら手の角度で仕上げるしかないらしい。

けれど、習字は楽しくなかった。艱難辛苦《かんなんしんく》のあげくに書き終えた作品を、自分では確かめられないからだ。最初私は、書いたものをすぐに手で触って、濡れた部分を見つけようとした。濡れたところが文字なのだから、そこをたどれば自分の書いた線がわかると思ったのだ。

ところが母は、「せっかく書いたのに、駄目になっちゃうわよ」と言って、紙が乾くまではどうしても触らせてくれない。読むことは触ること、文字は触っても壊れないものと思っていた私には、習字は触ると駄目になるということさえも、わからなかったのである。

そういえば、小さいころに焚火のあとの消し炭《ずみ》で塀に落書きをしたことがあった。そのとき親たちが、「まあ、顔も手も、足まで真っ黒じゃないの。早く洗いなさい」とあわてていた意味がわからなかったのを覚えている。

私には墨が黒いものだということさえわかっていなかったのだ。けれど、いざ乾いた紙を触ってみても、けっきょく、皺《しわ》が寄っただけの手触りしかなく、文字はどうやっても確かめられなかった。いまと違い、立体コピーなどというスグレものができる前の話である。

おかげで、このあとしばらく、「あさもや」という言葉が大嫌いになった。いまだに、「あさもや」と聞くと美しい風景でなく、長ったらしい半紙とぶっとい筆が脳裏に現れてしまう。絶景を前にして、いかにも興ざめな話である。

それでも、この習字で一つだけ楽しみを見つけた。墨をすることだ。これは、書く作業と違って、とてもリアルな実感がある。まず、墨がすれる。そして溶けた墨が優しい香りを醸し出す。最後に、墨の先を触ると、ちゃんと少し平らになり、すった跡がわかるのだ。

大学生のとき、井上ひさし氏の『四千万歩の男』（講談社）を読み、墨熱が再燃した。これは、伊能忠敬《ただたか》の生涯を小説にしたもので、測量結果や日記を野帳に記す場面が随所に出てくる。硯《すずり》に墨をたっぷりとするといった描写は、私の心の隅に眠っていた墨字への憧れを十分にくすぐった。

最初は、さまざまな形の墨を買い集めたり、形も手触りも変化に富む硯のコレクションに熱中した。とくに、文字を彫った大きめの墨は、いかにも古い感じがしてよい。硯ではやはり端渓《たんけい》が好きで、冷たくて手に吸いついてくるような感触を楽しんだ。

墨には香りがある。とくに写経用の墨が放つ、精神の奥底に染み通るような深い匂いがたまらない。そのほかの墨でも、する前のものには、手つかずの緊張感というか、指紋さえ寄せつけないような神聖さがある。

ところで私は、このころ香りを楽しむためだけに、習字用の墨を集めていた。書道専門店に足しげく通っては墨に顔を近づけて選んでいた。すると、「こんなこと聞いて失礼かもしれないけれど、目の不自由な方も書道なさるんですか」と、ためらいがちに尋ねられた。「いいえ、私のはただ香りを楽しむだけなんです」と説明したら、店員さんも一緒に墨に鼻を当て始めた。

「言われてみると、たしかに香りだけでお薦めしたことはなかったわ」

それ以来何回か訪れるたびに、私たちは、なにかよい匂いを見つけた犬みたいに、クンクンと鼻をならしながら話を弾ませた。そのうち店員さんも、「これなんか、何々の木だからよい匂いがすると思いますよ」などと、進んで墨を持ってきてくれるようになった。

いちばん気に入ったのは青墨だ。香りが新鮮で、いかにも墨らしい感じがする。国産の墨は木の香りが濃く残っていて、それをかぐだけで森林浴をしたように思えた。

ところが不思議なことに、このように一つひとつ違う香りの墨を、いざ硯ですってみると、どれも墨が水に溶ける香りになる。つまり同じような香りになってしまう気がする。それにすっている間も、硯の滑りが少し増えるくらいの感触で、ダイコンやヤマイモをおろすときのような〝する〟という満足感がまるでない。

紙に墨が染み込んだ匂いも嫌いではない。けれどあの匂いは、文房具屋さんに行ったときのような妙な興奮を起こさせるので、香りを楽しむという感覚とは少しずれるような気がする。だから私は、あくまですらないままの墨の香りを頑固に愛《め》でていた。

しかし、なにかをもてば使いたくなるのが人情だろう。私はこうして集めた墨を、なんとかして使ってみたくなった。ただすって香りを楽しむだけでもよいが、無駄にするのも気が進まない。かといって、いまさらあのつらい書道に踏み込むでもなし、どうしたものか、としばらく思案した。そのあげくに、レンコンやいろいろな形の消しゴムなどを使って判子《はんこ》のようなものを作ってはどうか、と思いついた。

まず晒《さらし》を適当な大きさに切り抜き、そこに例の判子で墨型をつける。これを乾かして端をかがったり、アルバムの台紙を切り抜いたものに張りつけたりして、壁掛けやコースターを作ってみたのである。

反対に透かしも試してみた。まず晒に蠟《ろう》を溶かして絵を描き、残りの白布の部分に刷毛《はけ》で墨を塗りつける。それから全体にアイロンをかけて、蠟を取り除くというものだった。

しかし、けっきょく仕上がりが確かめられず、この趣味はやがて終わりを告げた。こうして、私の墨と硯収集熱も、だんだん下火になってしまったのである。

その後、しばらくは墨と縁が切れたように思えたのだが、最近になって、同じ「すみ」でも、今度は備長炭《びんちょうたん》と深いつき合いをし始めてしまった。これは、最近よく言われるように、健康や電磁波防止のための利用で、はなはだ所帯じみたつき合い方だ。水に入れるとかパソコンの上に置くとか、枕元に置いてマイナスイオンとやらを頼りにしてみるといった調子である。それでも不思議なことに、オフィスのパソコンに炭を置いたその日から、私は頭痛に悩まされなくなった。「暗示ではないか」と言う人も多かった。が、しかし、暗示でもなんでも、頭痛が止まればよいのだから、これも炭の効果に違いはあるまい。水に入れれば能書きどおりの効果があるし、枕元に置いてあるだけでも安眠できるような気がする。暗示だとしても、その効果はたいしたものだ。

だから、なんと言われようと、私にとって「すみ」は、そこにあるだけで奇妙に力を発揮する魔法の品なのだ。

それに、「すみ」の重さや手触りは、ほかの材質では絶対に味わえない威厳のようなものを感じさせる。木の重みというか、凝縮された自然の力のようなものが練り込まれているのだ。最初に触れたときには冷たいのに、一秒も触っているとすぐに手の温度になる。これも木の特技ではないか。

さて、こんなふうに「すみ」とつき合っているうちに、私は「すみ」以外のものの香りにも目覚めていった。ハーブティーや日本茶の微妙な香り、アロマテラピーで使う精油の強烈な香りなど、私はさまざまな香りと遊んだ。

そしていつしか、香りの源だけでなく、その背景にも心を向けるようになっていった。

たとえばアロマテラピーの精油をブレンドしているとき、私はただ体への効果を考えるばかりではない。ラベンダーの瓶を開ければ北の大地に咲き誇る花々の愛らしい様子を想像するし、サイプレスを取り出せば生命力にあふれ、枝をいっぱいに伸ばした木々を思い浮かべる、といった具合に、鼻からどんどん世界が広がってきたのである。

旅行をすれば町の匂いにアンテナを張る。

最初にその味を覚えたのは、スペインだった。急な坂道の多い路地裏を歩くと、かならずと言ってよいほど妙な臭気が鼻をつく。それは中高生時代に生物の時間に観察した骨格標本の臭いに似ていた。「骸骨の町みたいで、やだな」と思っていたら、私の手を引いて一緒に歩いていた友だちが、「あれは古くなった漆喰《しっくい》の匂いだよ」と教えてくれた。するといきなり、「すごい、これは歴史の匂いだったのか」と不快感が重い感動に取って代わり、頭もたいへんすっきりしたのだった。

シンガポールでは、細い道に入ると、よく中国の香や中華料理の匂いがした。その匂いのなかでかまびすしい中国語が叫ばれていて、いかにも活気にあふれた生活が手にとるように感じられた。

その経験は、私に一つのショックを与えた。

この匂いをかいだとたん、それまで数えきれないくらい本を読み、たくさんの歴史を勉強してきたのに、生のアジアというものを一度も感じたことがなかったと気づかされたのだ。毎日お香をたき、おおらかに中華料理を頬張る人びとの生活を、私はほとんど意識さえしたことがなかった。シンガポールでかいだ匂いは、知らない間に欧米に傾いていた私の無知を、無言のまま思い知らせてくれたのであった。

ところ変わってパリでは、デパートに入ると婦人たちのつけているさまざまな香水の香りが次々と横を通りすぎていく。世の中にこんなに香水があったのか。「やはりここは香水の国、十七世紀のベルサイユ宮殿にも、こんな匂いが行き来していたのかしら」などと人中で勝手に感慨にふけったりしていた。

このころになると、匂いの源だけに向けられていた私の興味は、匂いの背景である広い広い外界そのものに移っていったのかもしれない。

森の匂いも面白い。

もともとは野鳥の声を聞こうと森に入っていたが、最近では鳥の鳴いていない森でもさまざまな匂いを楽しむようになった。たとえばマツのような針葉樹林では、五臓六腑《ごぞうろっぷ》に染み渡るような清純な香りがする。

新緑のころは格別で、切れのあるなかに甘さを秘めたと言うか、優しさと透明感が同居していると言うか、なんだか料理番組でタレントが郷土料理を食べているときのような言い回しだが、そんな感じがするのである。

広葉樹林の香りはもっと柔らかくて、どちらかと言うと木の匂いだ。あんなに葉っぱがあるのに、なぜか青臭さがない。広葉樹林の匂いは、なかの生物を温かく抱くような、優しい香りなのだ。紅葉の香りも素敵だ。青い葉の匂いと、木の匂いがほどよく混ざり、柔らかみを帯びた芳《かぐわ》しい香りである。

匂いとの出会いでいちばん素晴らしかった出来事の一つは、花見ができるようになったことだろう。それまでの私は、正真正銘の花より団子で、サクラが咲いているかどうかなんてどうでもよかった。目が見えれば、豪勢に咲き誇るサクラが、いやでも目に入ってしまうのではないか。

けれど私の場合、サクラの高い枝をグイと手元に引き寄せて触ってみないかぎり、花なんて本当に咲いているかどうかわからない。たとえ花弁に触れたり、人の説明を聞いて「ああ、咲いているのね」程度の理解にこぎつけたとしても、そこにはかならず時差がある。その時差を埋めるには、ひたすら友だちとの騒ぎを盛り上げるしかなかったのである。

香りをもつウメも要領は同じで、「咲いているでしょ。だからよい香りがするのです」という順番で花見をする。だから私の花見はいつも受け身で、いわば遅れた花見しかできなかったのである。

だが、匂いに出会い、かぎ分けることを知ってからは違った。サクラはともかく、とくに枝の低いウメの花見では、紅梅と白梅の香りの違いを味わったり、枝々におじぎをするように樹間を縫いながら花弁を触ったり、時には落ちた花々を拾ってみたりもする。ウメの種類まではわからなくても、「このへんはさっきのウメと違う種類でしょう」などと、一丁前なことを言ったりもできるようになった。ついでに、

中国語の子らも静かに梅見かな

などと一句捻《ひね》ってみたりして。これなら、友だちばかりか、おばさんでもおじいさんでも、どんな人とも花見が楽しめるという寸法だ。もう受け身でもおまけでもなく、自分から、みんなとの時差もなく、まさにリアルタイムで梅見を楽しめるのだ。「矢でも鉄砲でも持ってこい！」という気分なのである。

さらに私は、町中でも植物の匂いに敏感になってきた。それまでは、ジンチョウゲやキンモクセイのような、誰でも気がつく匂いをかげば、「ああ、いい匂いだ」とぼんやり思うだけだった。

けれど、景色の匂いに気がついてからは、こういう匂いがすると、「あっ、キン

モクセイが咲いている」と思うようになり、ついでに頭のなかで大木に小さくて上品なキンモクセイの花が満開になっているところや、それらの花がはらはらと散り、空を舞いながら香りを風に託しているさまを想像するようになった。

よく言われることだが、風の匂いも季節によってずいぶん違う。枯れ野の乾いた匂いを含んだ冬の風や、草々のあふれ返るエネルギーの匂いをもった夏の風、キンモクセイの優しい香りを運ぶ秋の甘い風など、風には、その向こうにある景色がさりげなくブレンドされているのだ。

でも、私がいちばん好きなのは、なんといっても春一番のころの風の匂いだ。春風も、そよ風なら少し青臭くて嬉しくなるようなものだが、本領を発揮している春の風は、とても埃っぽくてエネルギッシュだ。でもその風は、埃とともに地底に眠った生命を呼び起こす、いわば自然の目覚ましのような素敵な風である。

ところで、そんな風をなんとか言葉に書き留めてみたいと思っていたある日、勤めを終えてビル街に踏み出すと、風が春の匂いに変わっていた。私の頭に、

　ビル街の風匂わせて黄砂降る

という句が作れた。風はまさに、春の匂いそのものとなったのだ。この句は、ある

雑誌の文芸欄で特選に入った。「風の贈り物」である。

　こうして森ばかりか町中でも、香りは私の脳裏にいろいろな風景を描き加えてくれたのだった。

　年齢を経て思い出が多くなると、時が匂いになることに気がつき始めた。

　それはアメリカに留学していたころの友だちから来る、カードや手紙を日本で受け取るようになってからだった。封筒を開けると、高校一年生のころに過ごしたハイスクールでいつもかいでいた、乾いた紙の匂いがパッと広がる。インクと紙の混ざり合った、ドライな匂いだ。これをかぐと私には、あのころのことがなにもかも思い出せる。ホストファミリーとの打々《ちょうちょう》発止《はっし》のやりとりも、学校でのハプニングも、モルモン教会で何度もピアノを弾いたことも。いかにも型押しされたあとという機械的な匂い、湿気除《よ》けかなにかの粉でもまぶしたような、ユタの夏の日差しを思わせるような乾いた匂い。

　そしてなぜか、その匂いはアメリカから送られてくる洋服にも本にも梱包材にも染みついている。ユタにいたとき、日本から受け取ったたくさんの小包には、そんな匂いはなかった。だからこのドライな匂いは、「アメリカの匂い」「大陸の匂い」

として私の鼻の奥底にしっかり記録されている。

話はちょっとそれるが、外資系通信社で翻訳の仕事をするようになってからは、この大陸の匂いを活用するようになった。毎日届く社内便を仕分けしていて、この匂いがすれば、すぐに本社から来た英語の文書だとわかるので、ためらわずに音読機のスキャナにかけて読ませることができる。同じような封書でも、開けたときにこの匂いがしなければ、日本語の文書ということになる。これも、アメリカ留学で学んだことと言えようか。

雪の匂いも、私には不思議なものだ。

何年か前、長野と群馬の県境にある四阿山《あずまやさん》の高原の雪道で、ふと懐かしい匂いがした。湿っぽい、埃っぽい、それでいてとても甘く柔らかい匂いだ。埃っぽいといっても、夏の雨上がりのむせ返るような匂いとは違う。そのなかに立つ人を包み込むような、とても優しい香りだ。

思えば、それは小学校時代に毎年通ったスキー教室でかいでいたスキー場の匂いだった。でも、そのとき立っていた高原にはスキー場はない。とするとこれは雪の匂いだったのか、と突然気がついた。周りには雪を頂いた山々がひっそりと眠っている。そのなかにたたずみ、私は懐かしい匂いに抱かれて子ども時代と再会した。この場所で、今度は、時が匂いになったのである。

　すると、小学校時代ばかりか、雪にまつわる思い出が、どんどんフラッシュバックしてきた。中学のときの冬期教室で、格好いい講師と別れるのがつらくて泣いてしまったことや、ユタ州で腰まで積もった雪を漕ぐようにしてかき分けて学校に通ったこと、福島県会津にある祖父の実家で、屋根から落ちる雪音に驚いて目を覚ましたこと……。ほかにも、菜の花畑のハッカめいた匂いや、ブナ林のトーンの低い香り、夏野のむせ返るような草の匂い、湖畔の少し水っぽいコケの匂いなど、鼻を動かせばいろいろな景色をかぐことができるのである。

　こうして私の心は、匂いの源という「点（ポワン）」から、匂いの背景という「世界（モンド）」へと開け、匂いは意識の索引となっていった。どの匂いも、そのときには気にも留めないようなほのかなものばかりなのに、それがいつか、母の懐のような温かさをもって蘇ってくる。

　さて、私が小皺いっぱいの顔になって還暦を迎えるころ、いまの楽しきＯＬ時代を蘇らせる匂いはなにになるのかしら。とても楽しみである。

嫌いな手触り

とにかく、手触りにとらわれていた。なんでも、物体そのものよりそれがもつ手触りで、好きか嫌いかを分けていた。

たとえばものを作るとき、好きな手触りである紙をいじるのは楽しかったので、いまでも折り紙はよくやる。でも、嫌いな手触りのたくさんある裁縫は、大っ嫌いだった。大っ嫌いなうえに大の苦手で、糸の細さと、布の端のほつれに触ることを考えるだけで、ゾゾーッと身の毛が総立ちになった。自分の服がほつれたりすると、もうどうしてよいかわからない。ただ害虫を見つけて夢中で新聞紙を振り回すような心境で、はさみをとりに走るのである。あのほつれた場所のズルズルした手触りは、私を果てしない迷路に連れ込むような気分にさせる。手にとるだけで、気が遠くなるようなのだ。

　たぶんそれは、なんでも指先で探って確かめる生活から出た妙な癖なのだろう。私は、料理のとき、いつも塩、胡椒がどれだけ振られたかわからないので、手にとって分量を調べてから、鍋なり皿なりに入れる。砂糖や塩は粒の大きさで見分けるし、同じ種類の瓶に入っているコーヒー用の砂糖と粉ミルクは、瓶を振った感触で使い分ける。

　だから私は、いつも手が油一つないきれいな状態でなければ気が済まなかった。当然、もの心ついたときには水遊びはしても泥んこ遊びはしない。折り紙は好きでも、糊《のり》を使う工作は嫌い。目がはっきりわかる編み物はやっても、糸に触る裁縫はいや、といった具合だった。要するに、なにか作るときにはまず手触りで及び腰になることがとても多かったのである。

　ところが、十五歳でアメリカに留学していたとき、私のそんな狭い感覚がガラリと変わった。

　その変化が起きたのは、粘土と出会ったときだった。ハイスクールで陶芸の授業をとったのである。といっても、最初は「セラミック」という単語を知らなくて、

「ボウルをオーブンに入れてベークする」と言われて、てっきり家庭科の授業と思い込んでクラス入りしたのだった。だから、これから触るものが料理の材料ではなく、大きな泥の塊だと知ったときのショックは、それこそ青天の霹靂《へきれき》、寝耳に水、藪から棒と、あらゆる種類の動転が全部合わさったような塩梅《あんばい》だったのである。ああ情けなや、わが悲しき語学力よ。

これほど手先が汚れるのを極端にいやがっていたから、濡れたものに触ることは、ひたすら恐ろしかった。ベタベタの粘土の塊をドテッと前に置かれただけで身震いがした。

「これを轆轤《ろくろ》に据えて水をかける。こうやって押さえながら体重を、ほら、全体重をかけろ」と、先生が呪文のように繰り返す。

動いている濡れたものは、私にはただの怪物としか思えなかった。けれど先生の呪文で催眠術にかかったように、粘土に全身の力を伝え、轆轤を少し速めてみた。すると、どうだろう。いままで恐ろしい形相で私の手を汚していた物体が、掌《てのひら》のとおりにすんなりと曲線を描き、見る間に円筒形となって美しい壺の原型に変身したのである。われに返って手を離すと、目の前の粘土が、「さあ、壺でもなんでも作ってくれ」とばかりに座っていた。こうして、私のセラミックのクラスが始まったのである。

教室に入ると、まずエプロンのかかっているフックのところへ行き、背伸びをして両手を思いっきり上げ、エプロンを引っ張り下ろす。体がスッポリ入る、ドレスみたいなエプロンに身を包んでから自分の粘土をとり、いよいよ轆轤に向かう。椅子に座ってペダルに足をかけると肝が据わる。ベタベタの恐ろしい粘土に向かう心構えができ、「さあ、来い」ということになるのだ。

轆轤を回しながら器の原型を整え、スポンジや細い棒で端々を整えながら内部をくり抜く。底の厚さを測りながら、ぶち抜かないように内側から丸みをつける。轆轤をひとまわり回して縁を平らに切り取る。そしてはじめて、器の形となった粘土は優しく板に移されて乾くのを待つことになるのだ。

ところが、いつもこんなふうに流れるような作業であるわけはなく、三回に一回ぐらいは絶望的な大失敗が入る。

たとえば轆轤でようやく形をつけた原型をくり抜いているうちに、勢いあまって底までグリグリと穴を開けてしまうなんていうのは序の口。器の形になりかけた粘土の両側、つまり器の壁の内側と外側からやんわりと指を当て、壁の厚さを均等にしているうちに、ふとしたはずみで壁に指がグサリ。仕方がないのでそこまでの縁を切り取って一段低い器を作ることにする。けれどもそういうことが起きるときは、たいてい水が多すぎるので、かなりの頻度で二度目も同じ悲劇がやってくる。三回目で失敗すると、もうその粘土はおじゃん。いままでの苦労はなんだったの、ということになる。

いちばん悲しい失敗は、そういうプロセスを無事乗りきり、いよいよ最後の工程、つまり壺の上の縁を平らに切り取る作業での事故だ。轆轤の作業のなかで、この縁の切り取りと、作品を板に載せることが、いちばんデリケートな仕事だ。でも粘土の位置が見えない私にとって、これは人一倍難しい。だいたいの感覚で縁の位置を予想しながら、短い錐《きり》のようなものを水平に差し込んで、ゆっくりと轆轤を回す。

事故はこの瞬間に起こるのだ。ご想像のとおり、縁の位置を読み違えてとんでもないところに錐をズボリとやってしまうのである。グニャ、といやな感触、そしてニチャッ、とさらにいやな音がして、一時間半かかってようやく作り上げた器が斜めにひしゃげる。そして薄い壁は見事に内側に落ちていくのである。汗だくになって轆轤を離れると、たいていは泥んこ祭りのあとみたいに、顔に粘土のお化粧ができているのだった。

でも、これが粘土とつき合う面白さだ。粘土は、どんなに細かく計画しても、けっして計画どおりの形にはならない。けれどどんな形になっても、期待は絶対に裏切られない。土は私の手に語りかけ、掌と相談しながら好きな形になっていく。「お前はなんになりたいの？」と聞けば、粘土はちゃんと答えを知っているのである。だから私はいつも、粘土を制御して工作するというより、粘土のなるがままに器を作った。それは土の物語、大地のささやきに思われた。

この出会いで、私は物を作るときのダイナミズムと言うか、一つのまとまったプロセスで完成される時間的な変化と言うか、要するに、作ることの醍醐味を味わったとみえる。すると、いままでとらわれていた手触りからあっさり解放されてしまった。粘土と渡り合ったおかげで、手先が汚れることが怖くなくなったのだ。

それからは、ハンバーグもギョウザも、どんどん自分からこねた。裁縫はいまだに下手だが、編み物は、模様入りのマフラーぐらい作れる程度にかじってもみた。

そして最近は、糊をふんだんに使いながら、和紙細工で貼り物をするという趣味にたどり着いてしまった。生活を考え、フロッピー入れや精油の瓶入れなど、さまざまな用途を想定して籠に和紙を貼っていくのである。

まず、素材にしたい籠そのものを決める。最初は、野菜や果物、キャンディーや漬物の入っていた籠をなんでもとっておいた。民芸調の籠も、形によっては貼りたいものがある。次の作業は半紙を籠に糊付けすること。隙間ができないようにていねいに何重にも貼りつけ、何日かかけてよく乾かす。そしていよいよ和紙の出番だ。貼りたい形に切り抜いた和紙を、やはり半紙が見えないように貼り詰める。

この作業で使う糊も、和糊をぬるま湯で延ばし、紙に合った粘度のものに作る。そして和紙を貼り終わったら、その上から薄く糊を浸透させて皺や貼りむらをとる。それからまた何日かかけて乾かす。本当ならその上に柿渋《かきしぶ》をまぶす。だが、私には入手が困難なので、とりあえずここまででおしまいになっている。

とはいえ、なかなか悩みもつきない。たとえば、意外に紙の裏表がわからないのだ。友禅柄の紙は表と裏がほとんど同じ手触りで、大きな紙のままでもかなり難しい。小さく切ってしまうと、もうお手上げになる。絞りの紙も、表と裏の皺が微妙に違うのだが、やはり切り抜いたあとには皺の違いがほとんどなくなってしまう。

ほかの柄物はわりあいわかりやすいが、無地はどれもまったく駄目である。

それでも一応、紙を切るときは最初に折り目をつけて、かならず裏が内側になるように切り抜く工夫をしている。こうすると、折り目の跡が微妙に持ち上がるので、切ったあともなんとか区別できるのだ。

ところがはさみの使い方に慣れてくると、折り目も残さずきれいに切り抜けることが多くなる。切り抜くときは、紙の向きをあちこち変えながらやっとの思いで形を整える。だから切り抜いたあとには、もうどちらが表だったかわからなくなっているという悲しいことがよくあるのだ。

ようやく切り抜いた紙を皺一つないように貼り、何日もかけて乾かしてから母に見せると、「あ、よく……できた……ね」となにか語調が妙なときがある。「なに？」と焦って尋ねると、裏表が全部、逆になっていることが何回もあった。

電車を乗り継いで行き、一枚一枚しつこいほど念入りに選び、大枚をはたいて買い付けてきた和紙でやっと作品に仕上げたのに、それが全部水の泡になったのである。母も胸中を察するのか、言葉が出ない。私は私で、「畜生！」という言葉が頭のなかで十回くらいエコーしている。悲劇の沈黙があたりを支配するのである。おまけに母は、「かなり斬新なお作だわね」などと、ごていねいに止《とど》めを刺してくれたりもするのだった。

じつは最近、とうとう布を相手に遊び始めている。といっても、でき上がりが労力のわりに合わない裁縫ではなく、木目込《きめこ》みだ。

さすがに、絵のとおりに切り抜く作業は人頼みになるが、あとはクリップで表向きにまとめたほうを、教えられた場所に糊付けしながら、錐の先で布の端をていねいに溝に埋める。最初は、糊なしで形に埋め込んでみる。そして、一応場所が決まったら、糊をつけて本式に木目込む。一本の皺もなく布が溝におさまったときの快感は、さながら怪物をやっつけたあとのようだ。

こうして私は、手触りという「点」から、作ることの醍醐味へと世界を広げた。めげたりすねたりしながらも、自分の手ですべてのプロセスをこなす、という喜びにズボリとはまっているのである。

花の愛で方

花が美しいと言われても、私にはあまりピンとこない。

たしかに、香り高い花は素晴らしいと思うし、どんなに近くでかいでも、その香りに酔ったりしないのに、それが何キロも隔たって香るという妙技には、えもいわれぬ感動が起こる。大輪の花を見れば、自分の顔と大きさを比べながら「すごいわねえ」などと一応は感心もする。でもそれは、色と姿の微妙なバランスを目で楽しむ、という意味での観賞とは違うように思うのだ。

色がわからなくても、形で美しいと思えるだろうと言われるかもしれない。でも、こと花については色彩なしの花弁は、葉っぱとたいして違わない印象しか、私には与えないと言ってもよい。小さい草花などは、どこが花なのか葉っぱなのかさえ覚束ないことがある。

たとえば、美しいと言われるボタンの花も、私の感触ではおいしそうになってしまう。なんだかデコレーションケーキの生クリームで花びらを作ったように思えるのだ。ランもきれいだというけれど、触っていると花という感じが伝わってこない。どうも造花のようで無表情に思えてしまう。

とくに、小さな花が密集して咲いていたり、ウメなどのように枝から繊細な花が直接咲いているようなものは、どんなにそっと指を当てても花が落ちてしまう。触った瞬間に花が落ちて形が変わってしまうのだから、咲いている様子さえも正確にはわからない。しかも、やっと咲いた花を散らしてしまった罪悪感で、私は胸を痛めるばかり。

そんなわけで、蜜いっぱいのカルミヤも、雨に咲くガクアジサイも、手で触れるとただ花びらがいっぱいに盛られた小皿のようで、どうしても美しいという気にはならないのだ。せっかく咲いた花々には申し訳ないが、どうも私は花そのものを愛でることがあまり得意でないのである。

とはいっても、ただ、花の美しさが見えないから感動しないという単純なものでもない。たしかに、見えないうえに深い関心がなく、都会育ちだから植物のことはほとんどなにも知らない。けれど、もちろん私だって、ホオノキの下に立てば不思議な温かみを感じ、いかにも樹木に抱かれているという、優しい気持ちに包まれる。スギやマツの大木に触れ、温かい幹の手触りを味わえば、その木が生きているという感慨が湧いて、木と話をしている気分にもなる。

でも、なによりも感動しているのは、花が咲いたときの美しさそのものといった植物の形より、そこに花が咲いたという出来事らしいのだ。

たとえば神社などにアオキがたくさん生え、そこにたくさんの実が生《な》ったとする。私はアオキの実の赤さよりも、そこにヒヨドリが種を落とし、その種が芽吹いて苗となり、葉が繁って実が生る、というプロセスがすごいと思う。しかもヒヨドリの落とした種は、これまた、どこか知らない場所で食べた実なのだ。その森のなかを案内してくれたレンジャーさんは、「この森は、ヒヨドリが作ったんだ」と誇らしげに教えてくれた。

さて、花の美しさより、花が咲くという事実に感動するなどと、いきなり偉そうなことを書いてはみたものの、じつは最近まで、私は植物というものにはほとんど無関心だった。その最大の理由は、たぶん最初から人間の手が加えられた植物ばかり触っていたことではないかと思う。

小学校時代、観察日記をつけるにしても、先生から与えられた球根を、先生に言われたとおりに植える。観察は先生が言うとおりに感じ、「素晴らしく伸びましたね」と言われれば、「素晴らしく伸びました」と書く。花が咲けば、「とても、きれいでした」と、言われたとおりに書く。でも、自分では花がきれいだなんて、ちっとも思っていないのだから、感動が起こるわけがないのである。

ほかの植物や木の実の観察にしても、いつも誰かが、「さあ、触りましょう」と言って、座っている私の目の前になにかを置いてくれる。私は、それを言われたとおり下のほうからなぞっていき、「花があります」とか、「実があります」などと言っていればよかった。

ひと言で言うと、私は、覇気も生命力もない、人間によって、ようやく生かされている飼い殺し状態の植物しか触っていなかった。つまり、森や野原から受ける新鮮な感動が、まったくないままに観察していたのだ。そんなふうだから、植物への興味などとうてい湧くはずもない。

中高生時代の授業でも、野外学習などで、森の仕組みや生態系のメカニズムを教わったけれど、残念ながら私にとってそれは、ただの授業でしかなかった。前に書いた植物の名前付けはたしかに楽しかったけれど、内面からの感動を呼び起こす自然体験とまではいかなかったのである。草も木も、摘んでなにかを作ったり、味わったりする玩具の延長で、そこにいる虫やカエルは、ただ気持ちの悪いものだった。自然は、ただの「場所」、遊びに行く「空間」という点にすぎなかったのである。

野鳥に興味をもっても、その感覚はあまり変わらなかった。私の興味をひくのは、いつもなんの鳥がどこにいるかとか、どの樹種の森になんの鳥がどのくらいいるか、といったピンポイントの要素だった。だから探鳥をしていても、ちょうどオーケストラのなかからピアノの和音を聞き取るように、鳥の声ばかり聞き分けていた。自然に興味をもっていても、私の観察は、「点」の観察でしかなかったのである。

その私が、生態系を本当に意識するようになったのは、一九九五年に日本自然保護協会という団体の自然観察指導員養成講習に参加したときだ。就職して二年目だった。折しも台風十三号が近づき、居室では誰もが台風情報に聞き入っていた。二日目にフィールドに出ると、案の定、横殴りの雨に見舞われ、一団はすぐに濡れ鼠《ねずみ》になった。

そんななかの実習で、私たちは木の下にある腐葉土を崩さないように、層のままタッパーに採り、そこにいるものを一つひとつ確かめたのである。

湿った落ち葉が何枚も重なり、そのなかにガの羽やヤスデ、クモ、鳥の羽などさまざまな生きものや、その落とし物が隠れている。クスノキの葉だけを食べるアオスジアゲハの糞が、本当に樟脳《しょうのう》の香りを放つことにも驚いた。そこはまさに、命の生産現場だったのだ。

それまで野鳥の聞き分けにしか興味がなかった私は、このときから、植物が育む生態系というようなものに深く心を打たれるようになったのである。おそらく、それまで知識としてしか頭に入っていなかった自然が、突然目の前で姿となって再現されたのだろう。この実体験が、個の観察方法しか知らなかった私の植物観を、森へ、野原へ、地球へと誘ってくれたのであった。

ところで、この話にはもう少し続きがある。

自然への感動に魅せられた私は、植物に触りながら、たくさんの名前を覚えてやろうと、生け花を習い始めたのだ。

最初は珍しい花や枝の形が面白くもあり、また知らない名前の花材が次々と登場するのにわくわくしていた。たしかに、垣根からのぞく花々や冬の林を再現して、水盤や花瓶に奥深い世界を創造することは、それまで知らなかった面白さを感じさせてくれる。けれど、その作業に慣れてくるにつれ、生け花は、最初に私が期待した自然への接近とは少し違う目的をもつことに気づいてきた。

もちろん、ここで生け花とはなんぞや、などと書こうというのではない。私が気づいたのは、生け花は、じつは生きた植物との接触ではないということなのだ。この世界の深さも、面白さも、他の分野にはないものだ。けれど、そこで扱う植物についてだけ言えば、それは大地からも、幹からも切り離され、花器の水だけで余命をつないでいるのである。

だから、それぞれの形は、枝葉を張りつめた植物だけれども、葉っぱにも花にも木々のような覇気がない。当然それを生ける私の気分も、森で味わうような植物への畏敬の念ではなく、植物を造形の道具として見る、創造の感覚になる。そしてそれに気づいてから庭木を触ってみると、驚いたことにこれも森の木々とは全然雰囲気が違っていた。

最初にびっくりしたのは、ドウダンツツジの葉っぱだ。生け花で使う葉っぱは、しんなりと柔らかく、指が当たってもほとんど反応がない。ところが同じドウダンツツジでも、庭にあるものの葉っぱは、ちょっと指が触れただけで、パキッと音をたてて葉脈が折れるのだ。さらに森のドウダンツツジの葉は、指を当てるとパキッと折れるだけでなく、枝からの弾力が指に伝わり、一種の反発を感じる。

考えてみれば、生け花が最後の命だとすれば、庭木は、肥料や培養土と、人の丹精でようやく生きている籠の鳥状態と言えるだろう。ところが森の木々ときたら、小鳥も、虫も、自分にまとわりつくツタやコケまでも育み、なにがあってもかまわず花や実をバラバラと落とす。これらの木々は、生態系の命の生産に加担する、いわば命のなかの命なのだ。

そこには、ツタに絞め殺されそうになりながらも、実を生らせたり、寄生木《やどりぎ》の重みに耐えながらも花を咲かせるといった、どろどろとした生命エネルギーがみなぎっている。だから、こちらが触れたりしようものなら、「勝手に触るな」とばかり反発もする。つまり森の木々の命は、切り花や庭木とは、命のレベルが違うのである。

けれども、私は生け花をやめなかった。命のレベルに気づいたときには若干の失望がないでもなかったが、それでも私は植物に触っていたかった。自然観察の視点から見れば、切り花たちには気の毒このうえないことになる。けれど、自分で花を育ててみてはじめてわかったのだが、放っておけば枯れてしまう花ならば、せめて美しい最期を遂げさせてやりたいという気持ちが起こってくるのだ。

花は、次世代の命である球根や種のもとで、それらを世に送るためだけに咲くのだから。そんな人情を花に向けるお人好しは、私だけだろうか。

とにかく、プランターの花が終わりそうになると、実として残すもの以外は摘み取って、できるだけきれいに生けてあげることにした。そして、生けた花びらも終わりそうになると、端から摘んで、水を張ったクリスタルの器に浮かべてテーブルに飾る。泥の奥から芽を出し、太陽とともにすくすくと育って見事に咲いた生命に、文字どおり花道を作るのだ。これは、温度や日当たりを気にしながら肥料をやり、水をやり、土を被せた私なりの丹精に応え、何カ月も楽しみを与えてくれた植物たちに対する、せめてものの感謝なのだ。

さて最近私は、先生から花材をいただくと、まず心のなかで「どうやって生けてほしい？」と聞いてしまうようになった。枝の角度や花の向きを生かすのは私のセンスだろうけれど、植物が決めた生命の向きは私に決められるものではないように思うからだ。それに、あれほど丹精され、日数をかけて育てられた命を、徒《あだ》や疎《おろそ》かにはできないという妙な気持ちが湧いてしまうのも、私の変な癖らしい。端切《はぎ》れのように落とした葉っぱや短い穂先なども、どうも無駄にできなくて、ついきれいに束ねてしまう。「あなたは、黙っているとすぐ葉っぱをまとめてしまうのね。ずいぶん葉っぱが好きだこと」と、先生に笑われてばかりである。

でも、そうやって自然に生けると、「うまくいきましたね」というお言葉をいただけるような気がするのだ。すると、命のレベルを見たときの失望は、みるみる「植物の花道」を作れたという充実感に変わってきた。

いま私の心には、小さいころ少しも面白くなかった植物の暮らしが、生まれてはじめて見るもののように新鮮に映っている。「さあ、触りましょう」という言葉が種となり、私の植物への意識は、植木鉢から森、さらに自然界全体へと、さながら葉を繁らせるかのように広がっているのだ。

そして、少々覇気に欠けてはいても、そんな命の生長を、もう一度自分の指で確かめたいと、ここ何年かは小さなプランターをわが家の超ミニバルコニーに並べ、ユリやアマリリスからカボチャやピーマンまで、さまざまな植物を育てている。

どの植物も、芽のうちから個性的な顔をもっており、時にはたった一つの堅いつぼみから、いくつもの大輪の花がボッと開いたりする。それらはプランターのなかの慎《つつ》ましい命だけれど、その命が脈打っているということ自体が、じつはいちばん大切なことなのかもしれない。そして、私の自然への思いは、あたかもこれらの植物とともに、ますます大きく育っているように思えるのである。

開かれた味覚

赤道から船でわずか六時間というだけあって、シンガポールの太陽は九月になってもすさまじく照りつけていた。ツアー旅行三日目にやっと終日自由行動ができ、ほっとしたのはよいけれど、野鳥公園からセントーサ島のゴンドラ、モノレールとお決まりのコースをこなし終えたころには、家族三人ヘロヘロに熱されてしまった。それなのに、じつはもう一つ予定がある。買い物だ。この旅のメーンイベントの一つである。

ということで入ったのが、日本人経営のブティック。日本人の店なら安心というお上りさん根性丸出しの結果である。ところが、ご多分にもれず、いきなり商品を勧めてくるかと思いきや、「まずはどうぞ」と私の手を引いて椅子に座らせた。そしてさらに驚いたことに、紙パックに入ったミネラルウォーターを持たせたのだ。冷たい。それになにしろ日本人の優しそうなおばさんで、旅先の緊張が一気にほぐれる思いだった。とにかくその冷たさにすぐに気を許し、私は両親の様子をうかがう間もなく紙パックを唇に当てていた。砂漠でオアシスの水を飲むときって、きっとこんな気持ちなんだろうなあ……。これこそ命の水、ああ神様、ありがとう！　などと大げさな言葉を頭に走らせながら、私は熱帯の冷たい水をおいしくいただいてしまった。

熱帯だから、みんな喉カラカラで店に来るのだろう。南国でなければ思いつかないおもてなしではないか。私は手放しで感動した。

と思ったら、じつはこのように飲み物を振る舞う風習は昔から日本にあったのだそうだ。この旅行から何年か経ったある日、俳句の勉強をしていたら、「振る舞い水」という季語に出喰わしたのだ。厳密に言うと、振る舞い水とは路肩に手桶や柄《ひ》杓《しゃく》を置いて、通る人なら誰でも飲めるようにしたものだ。だからたしかに、シンガポールで出会ったもてなしとは、ややおもむきが違う。とはいえ、客に水を振る舞ってもてなす点では、これも振る舞い水の一種ではないか。

はっきり言って、ショックだった。熱帯に住む日本人が編み出した秘伝のサービスかと思ったのに、じつはそれがもともとは日本古来の風習だったなんて。いや本当は、さらに昔に中国あたりから輸入したのだろうか。まあ、そんなことはどうでもよい。とにかく歳時記にまでこんな季語があったとは、ずい分びっくりした。

けれど落ち着いて考えてみると、その私も日本で、しかも家のすぐ近くの生地屋さんで飲み物を振る舞ってもらったことがあった。

母とふらりと入ったら、「いらっしゃいませ」の言葉とともに椅子が出てきて、目の前の卓袱台《ちゃぶだい》に熱いお茶が二つ並べられたのだ。小さな茶菓子がついていた、かどうかは思い出せないが、私たちはお茶をすすりながらゆっくりと生地選びにふけったものである。

飲み物を振る舞われると、つい腰が落ち着いていろいろ買わされてしまう。これが向こうの戦法なのだろうが、こちらも半ばそれを承知でお茶を招《よ》ばれる。そういえば、母も小さいころ、物売りや通りすがりの知り合いに水やお茶を出すように言われたことがよくあった、と話してくれた。

思えば、私はかなり大きくなるまで、本気で飲み物をおいしいと思ったためしがなかった。虚弱だったせいか、赤ん坊のころは牛乳をほとんど受け付けなかったらしいし、小学校時代も、ジュースのように甘い味のついたものしか飲みたがらなかった。だから給食の牛乳も、先生の目を盗んで洗面所に捨てていたし、高校生になってもお茶はなぜか好きになれなかった。

甘みがないので、味がないと勘違いして、白湯《さゆ》との区別も覚束ないほどの味音痴だったのである。さすがに市販のジュースは卒業したけれど、食卓で飲むのはお茶でなく、生のレモンを絞って蜂蜜と水で薄めたレモン水だった。だから、飲み物とはただの食事の付属品でしかなく、それを楽しんだり、ましてやそれを口実に友だちを作るなどということは考えもしなかった。文字どおり、味気ない生活だったのである。

飲み物の味を楽しむことができるようになったのは、大学受験前後に体調を崩し、苦い漢方薬をさんざん飲んで舌を鍛えてからだった。最初は、なんでもただひたすら苦かった。薬だから仕方なく、舌を麻痺させて、とにかく飲み干すことしか考えなかった。

それでも、体質改善のためといろいろなものに挑んだ。いまでも名前を聞いただけで震えがくるほど苦いレイシやサルノコシカケも煎じて飲んだ。もう少しマイルドなところではスギナ茶もかなり続いた。これはほとんど味がないが、よく味わうと薄い甘みがある。もっとおいしいところでは、クコ茶やキク茶もやった。すると不思議なことに、ただ苦いと思っていた漢方薬のなかに、ほんのり甘みがあるのがわかってきたのである。一生懸命、麻痺させていた舌を、私は少しずつ解放していった。すると飲み物の香りにも目覚め始め、ついに、お茶を本当においしい飲み物だ、と思うようになったのだった。

それからは、とくに葉っぱから出すお茶類に熱中した。最初は、流行《はや》りのハーブティーをたしなみ、輸入物の道具やブレンド用の葉を揃えて喜んだ。それから日本茶の飲み歩きを始め、新茶の季節にはデパートの試飲に行ったり、お茶屋さんの話を聞きに行ったりと忙しくなった。紅茶にも手を出し、マツの葉でいぶした葉を仕入れてきたりもした。

そういうことをひととおり卒業したころになると、どうしたものか飲み物好きの友だちが何人かできていたのである。その一部はアロマテラピー友だちに、さらに一部は食べ歩き、飲み歩きの友だちへと発展した。

こうして、親譲りの下戸《げこ》である私にも飲み友だちができ、自分の命の糧《かて》でしかなかった飲み物が、糧というポワンから私の世界を大きく広げてくれたのである。

ところで最近、味や材料だけでなく、飲み物自体のもつ不思議な力にもひかれるようになった。わけても器に注がれる瞬間の、飲み物が醸し出す精神作用は、すでに注がれてしまったものとは比べられないくらい魅惑的な力があるように思える。

たとえば、可愛くてたまらない飼い鳥の水を替えるとする。まず入れ物をきれいに磨いて新しい水を入れるのだが、私はどうしても、三、四回水を汲み替えて、できるだけ澄んだ冷たい水を作ろうとしてしまう。どうせ水道の水なのだから、何回汲んだって同じなのに、これをしないとおいしくならないような気がするのだ。

とくに、わが家で飼っているソウシチョウは水が好きな鳥で、水を入れ替えてやると間髪をいれず水浴びを始める。しかも水浴び用と飲み物用の水入れは自分で使い分け、水浴びのときでもかならず嘴で水質を確かめる念の入れようだ。そうなるとこちらとしても、できるだけおいしい水を入れたくなる。

さらに不思議なのは、そうして心を込めて汲んだ水は、自分が飲まなくてもとてもおいしそうに見えることだ。小さな器いっぱいに汲んだ水をこぼさないように籠におさめるとき、たとえその水の透明度は見えなくても、私にはこの水がとても透き通っていると思えるのである。

それともう一つ、私は水を触ることにも、飲むのと同じくらい不思議な精神作用があるように思えるのだ。たとえば、何時間も急な山道を登っていると、ふと岩に生えたコケで濾過《ろか》された清水がかすかな音をたてているところに行き着く。その水は天から降り注ぎ、岩や土を伝ってどんどん山を下り、最後にコケの漏斗《ろうと》で仕上げられて、いま私の掌に滴っている。それはもしかしたら、神様の振る舞い水かもしれない。そしてそれに触れるとき、透明な冷たさと透き通った肌触りで、私はまるでエデンの園の美水でも飲んだような気分になるのである。

歩いてきた足の感覚や鳥の声、空気と同じように、この清水の存在も、山懐の大きさを教えてくれる大切なものだ。そんな感じを、私は句に詠んだ。

滴りを手に受け山の深さ知る

水に触るといえば、お風呂もどこか、飲み物に似た効果をもつような気がする。私は温泉につかると、かならず水面からそっと両手を入れる癖がある。このことだけ書くと「変なやつ」と言われてしまいそうだが、こうやって水の感触を確かめてみるのだ。

家の風呂で同じことをすると、指はするりと水面を抜け、絹ごしの豆腐を切るように滑らかな感じがする。ところが温泉のお湯は、水面にかなりの抵抗があって、指を入れるとざらざらした感触が強い。塩泉などはそれほどでもないが、粘土質や鉄分の多い温泉だとお湯がとても重く手にまとわりついてくる。ポチャリと水面を叩いたときの音も、どこか重く低い響きになる。

そんな感触を楽しんでいるときは、まるでお茶やコーヒーの味を楽しむような塩梅なのだ。五感のなかでは味覚と触覚は分かれているけれど、こと飲み物と水については、私には触れるのも飲むのも同じような魅力をもっているような気がしてならない。要するに、人間はそれだけ水や飲み物の恩恵を受けて生きているのだろう。

器に注がれれば飲み物になるけれど、考えてみればそれは大自然が育んだ液体の切り抜きではないか。そんな思いをめぐらせながら唇になにかを運ぶとき、私の心は、それを飲むために器を満たしてくれた人や、清水を与えてくれた自然と同じように、豊かに満たされた気持ちになるのである。

＊

ところで、私はひょんなことから、飲み物に開かれた味覚を、お菓子にも開くことになった。事の発端は、就職して間もないころ、友人の誕生パーティーで大衝撃を受けたことだった。

とにかく、友だちのほぼ誰もが、とても上手にお菓子を作るのである。それも、ただ作り方のマニュアルを見て焼くとか固めるとかいうようななまやさしいものではない。「ベーキングパウダーは、やっぱり使わないほうがいいよね」とか、「シフォン以外は卵なんて、だいたいは共立てだよ。メレンゲなんて作ってたら、ボウルがいくつあっても足りないもんね」など、かなりの通でなければ出てこないような話題が当たり前に飛び交っているのだ。

もちろん私だって、生まれてこのかた料理をしたことが一度もないというわけではない。学校では家庭科の授業があったし、ユタ州の盲学校では、「ホーム・エコノミクス（ホーメック）」の授業で、それなりの料理を作ったものだ。いまでも、ふだんの料理はひととおりこなしているし、お菓子作りが特別に珍しいというわけでもない。

ただ、それまでの私にとって、料理は生活のためのもので、お菓子作りなんて、誕生日かクリスマスにみんなで大騒ぎして作る、イベント的な存在でしかなかったのである。

ホーメックでは、一週間かけて一つの料理のすべてのプロセスを仕上げていく。まず計量の仕方から教えられ、先生の読むレシピを点字で書き取る。次は買い物だ。実際に財布を持って巨大なスーパーマーケットに車で乗りつけ、レシピに従ってきちんと買い出しをする。次の日は計量デーで、粉だのシロップだの、ほぼあらゆる材料を量っておく。そして金曜日に、ようやく一品のお菓子なり料理なりが仕上がるという仕組みだった。

日本に帰った私は、普通の受験生に早変わりしてしまい、あの夢のような自立練習の授業のことは頭のどこかへ押しやられていた。こんなに当たり前に、楽しくお菓子を作る友だちに囲まれるまでは。

お菓子作りを再開するにあたり、まず私は道具を全部買い揃えることにした。といっても、家になにもなかったからではなく、私専用の道具がほしかったのである。お菓子の道具はかさばるので、これには一瞬思案したが、やはり母親の道具を借りるのでは、いつでも好きなときにお菓子を作る気分にはなれない。どうしても、「お母さま、お菓子を作ってもよろしいかしら」などと、ご機嫌をうかがわなければならないような気がしてしまうのだ。

私は、まず六段の引き出し付きの立派なキャビネットを買い、そこに次から次へと道具を詰め込み始めた。泡立て器など、家にある手動のものでは埒《らち》があかない。やはり、五段変速のハンドミキサーでなくては。

そういうわけで、道具を揃えた私は、最初、簡単なスポンジケーキでスタートを切ることにした。

いくつものボウルを前に、私はずいぶん昔に編み出した卵の分け方を頭のなかで復唱した。小学校高学年くらいだったか、はじめて卵白と卵黄を分けることになり、母に教えられながら覚束ない手つきで卵を割った。割ったはよいが、分ける前に全部ボウルに落としたり、ぐしゃりとつぶしてしまったりで、最初はただ卵を割ることさえうまくいかなかった。ようやく割るこつを覚えると、いよいよ卵黄の取り分けだ。

「殻を割ったら、少し傾けて、白身だけが流れ出すようにするの。そうすると黄身だけが残るから、それを小さいほうのボウルに一つずつ分けておけばいいでしょう」

黄身を一つずつ分けるとは名案だ。だがしかし、不器用自慢の私にはそんなに簡単にはいかないのである。殻を傾けるといったって、割る場所を間違えてすぐに黄身が落ちてしまう。落ちたら最後、純粋な白身になるように黄身のかけらまで拾うことなど、できるわけがない。どうしても、最初の失敗が許されないのである。

そんなことで、いくつの卵を駄目にしただろう。割っても割っても、黄身は素直に分かれてくれない。「やり方、変えようか」、とうとう母がため息交じりに言った。

二番目のトライアルは、卵を割るときに、流れ出す白身を左手で受け、指の間からボウルに流すように落とすやり方だった。べたべた物を克服したはずの私だが、さすがにこれは、相当気持ちが悪い。それに、このやり方だと、たとえ終わってから手を洗っても、なんとなく手がべたつくのだ。それでこの作業の前に、レシピにどんな手順が書いてあろうと、私はまず粉をふるい、ミルクや油などの計量を先に済ませてしまうことにしている。

けれど、このやり方で白身と黄身を分けると、黄身は面白いように左手のなかに残った。それに、冷えた卵なら、黄身が手に残る瞬間に右手でカラザを引っ張ると、いとも簡単に抜けてくるのである。一度ボウルに落ちた卵からカラザをとるのは至難の業だが、左手に黄身を持ったまま白身を上手に落としてカラザを探し出せれば、カラザは黄身の重さで自然に剝がれてくれるのだ。

お菓子作りのときにわざわざカラザをとる必要があるかどうかはわからないが、とりあえず余計なものがあると気になるので、私はいつもカラザをとってから黄身を落とすことにしている。

ところで、このごろは、私がお菓子作りを始める素振りを見せると、母がすばやくレジャーシートを手渡すようになった。「粉を使うお菓子を作るときは、これを部屋じゅうに敷き詰めるように」との至上命令である。

レジャーシートは母の得意業だ。私が小さかったころも、遊び部屋にはいつもレジャーシートが敷いてあった。その上でなら、水をこぼそうと粘土を散らかそうと、泥だらけの足で歩こうと、なにをしてもよかった。私も、遊びに来ていた近所の子どもたちも、シートの上ではしゃいだものだ。母が大量にこねて作ったうどん粉粘土を平らに延ばし、手や足の跡をつけたり、二キロもありそうなうどん粉粘土をサンドバッグの代わりにして、友だちと二人で長いことやっつけていたこともあったそうだ。

そのレジャーシートが、なんとこの歳になって復活してしまったのである。どうせ終わったあとには掃除機が登場するのだから、この期に及んでなにをしても同じような気もするが、仕方あるまい。私は手ほどきを受ける手前、おとなしくシートを広げることにした。

料理は時間との勝負なので、のろまな私には緊張の連続だ。やっとの思いでバターやチョコを湯煎《ゆせん》しても、そこに入れるために合わせておいた粉類を揃えている間にどんどん固まってしまったりする。手に触れた粉から、次々と入れていくしかないらしいのだ。反対に、せっかく指示どおりのメレンゲができても、そこにぬるま湯に溶いたゼラチンを入れるときに温度を間違えると、ゼリーが固まらないばかりか、メレンゲが煮えてしまったりする。こちらのほうは、冷めるまで気長に待たなければいけないのだ。

温度といえば、はじめて共立てに挑戦したとき、湯煎のぬるま湯がちょっとだけ熱かったのか、白身が先に煮立ってしまったことがある。「思ったより早く泡立つのね」などとのんきに構えていたら、黄身が下のほうで澱《よど》んでいた。一回で、卵六つがおじゃんである。

生地を合わせるのも難しい。これはいまだに成功したりしなかったりだ。手が小さくて大きめのボウルが片手で持てないのも、けっこう事を複雑にしていると思う。だが、いちばん困るのは、生地のだまがわからないことだ。とくに、シフォン生地のようにだまが致命的なものは、よくよく混ぜておかないと悲しい結末になる。ところが、あまり混ぜすぎても生地がつぶれてしまうのである。この加減はかなり微妙らしく、レシピの説明もいろいろと表現をこらしている。けれど、けっきょくどれを読んでも、独学でボウルに立ち向かう私には、よくわからないのであった。

オーブンから甘く香ばしい匂いが漂ってきたときは、嬉しいというよりほっとする。「とりあえず食べられるだろう」と目処《めど》がつくと、なおほっとする。まだほの温かいスポンジに精いっぱいのトッピングを施し、レースのナプキンを敷いた皿に盛って夕食のデザートに出す。

母はそれまでの苦労を見ているので、「うん、かなり頑張ったじゃない」と一応フォローしてくれる。

ところが父は、「まだ修業が足りないね」と、けんもほろろだ。もちろん褒めてもらおうなどとおこがましいことは露ほども思っていない。私が知りたいのは、次にもっとうまくやるためにどうすればよいかのヒントなのだ。たとえば「粉っぽい」とか、「甘みが足りない」とか、あるいは「口当たりが悪い」というのでもよい。とにかく、なにかひと言ほしかった。

それなのに、父は「そう簡単には褒めてもらえないよ」と見当違いのことを言って、にやついている。たまりかねた私が「なんでもいいから感想を言ってよ」とたみかけると、「きょうは上弦の月だなあ」などと思いきりわざとらしく窓の外を見上げたり、しまいには、感想を言うのが面倒なのか、食べたことを私に内緒にする始末だ。そんなに気に入らないなら食べなければよさそうなものだが、そこは父親で、一応チェックは入れておきたいのだろう。私にとっては、ひたすら悔しい話である。

行き場を失って、私は例の誕生会に来ていた友だちに思わず泣きを入れた。

「じゃあ、家においでよ。ベーシックからコーチするから」

ああ、よい友だちをもったものだ。私は心のなかで涙を流しながら、バスで三十分ほどの友人宅へ向かったのだった。

キッチンに入ると、テーブルにはもう、ボウルに粉類、秤《はかり》にサラダ油の瓶がちゃんと準備されていた。「じゃ、やるか」と友だちは、元気よく冷蔵庫から卵を四つ取り出してきた。例の分け方で卵白を集めてメレンゲを作り始めた。

「麻由ちゃん、全然足りない。もっとすごぉく泡立てなくちゃ。ボウルをひっくり返しても落ちてこないくらいに固く立てるんだから」

そんなことがあるのだろうか。メレンゲは、どちらかというと液体ではないのか。ひっくり返しても落ちないなんていう液体があるのだろうか。だが、砂糖を何回かに分けて入れながら、ひたすら泡立てていたら、だんだん抵抗が大きくなり、泡立て器の音が鈍くなってきた。そしてとうとう、「よし、じゃあ、ひっくり返してみよう」とお許しが出た。

こわごわボウルを差し上げ、そっと傾けてみる。メレンゲはびくともしない。さらに角度をつけ、真っ逆さまにしても、メレンゲはしっかりとボウルの底にへばりついていた。メレンゲというよりは、粘りのある物体といった感じだ。

「やった！　やったじゃん！」

記念撮影などしてケーキをオーブンに入れたとき、居間の電話が鳴った。

「そら来た。そろそろ、みんなが来るよ」

「えっ？」

私のシフォンケーキを楽しむために、いつものメンバーたちを家に招いておいたというのである。もしかして失敗したら、なんと言うつもりだったのだろう。なんだか急に心配になってきた。

オーブンからシフォン型を取り出して冷ましていると、友人たちが続々と到着した。

「なに？　麻由ちゃんがケーキ焼いたって？」

わざとはやし立てながらキッチンをのぞきに来る。皿にセットしたケーキを持ってリビングに入ると、みんなが拍手で迎えてくれた。なんだか変な気分だったが、とにかく皿をテーブルにセットした。そして、また記念撮影。

例によって、持ち寄りの手作りお菓子の披露が始まった。今度は私も一人前に披露できる。みんなはことさらに、「おいしい」とか「うまい」を連発して、私に自信をもたせようと一生懸命励ましてくれた。本当に褒められるべきは、私の師匠役を買って出てくれた友だちなのに、その本人までが、みんなと一緒にできたてのシフォンに舌鼓を打っている。

食べてもらう喜び、きれいなラッピングや盛りつけで演出する喜び、それはいままでインプットされる経験の多かった私にとって、貴重なアウトプットの喜びだった。自然の生態系で参加する喜びを学んだように、このとき私は、生活を作る喜びを、仲間たちと共有していた。

ところで最近、私はブラマンジェを作るために、電磁調理器なるものを調達した。これが意外に広い用途をもっているので、いろいろやっているうちに、今度はお菓子ばかりか料理にもはまり始めた。

多少手のこんだものも愉しいが、やはりいちばん単純で面白いのは蕎麦《そば》をゆでることかもしれない。これは、熱湯を満たした大鍋を持ってシンクとガスコンロを右往左往するはめになることが多く、電磁調理器を買うまでは敬遠しがちな料理だった。

ところが、シンクの隣に置いた調理器で蕎麦をゆでられるようになると、これが面白くてたまらないのだ。びっくり水を注《さ》してから蕎麦を冷水に上げるまでの絶妙なタイミングが面白い。これができたときには、「江戸っ子だってね、蕎麦っ食いだよ、べらぼうめ」などと、たんかの一つも切りたくなる。

もともと、紙だのリボンだのが好きな私は、お菓子のラッピングを料理にも応用し、工作用に蓄えている和紙を、ちょっと贅沢に使ったりするようにもなった。いま、生け花を応用して、豪華なフルーツバスケットを作ろうと企んでいる。果物を花のようにアレンジして、ただ盛りつけるのとは違うバスケットを考えているのだ。もちろん、入れ物もただのざるなどにはしない。目下、イメージを膨らませながら物色中である。

そして「偉いね」などと上から見下ろした褒め方をせず、「麻由ちゃんが作ってくれたお菓子はおいしい」と、一緒に喜んでくれた友だちを、今度はどうやってもてなそうかと、演出の喜びを覚えた私は、現在試作を重ねているところだ。

こうして味覚が開かれたことで、私は、生活を楽しむという、新しい世界へ踏み出したのである。

文字との格闘

私の文字ライフは、ずばり「点（ポワン）」でできた点字から始まった。

といっても、点字の授業が始まった小学一年生のうちは「触る」練習が多くて、毎日、教科書の点線を左から右へまっすぐなぞったり、円や渦巻をていねいにたどって過ごした。

時折、果物や花の名前を読み書きしても、手が小さくて点字一文字が指におさまらない。文字ごとに指を動かして探りながら、「ウ、サ、ギ」などと、ようやく単語ができるという調子なので、最初は、短い文章でも意味をつかむまでには行き着かないのだ。そのうえ、点字は表音文字なので、漢字のように一瞥《いちべつ》しただけで意味がわかる仕組みではない。だから点字しか知らない私は漢字をまったく無視し、音の世界だけで生きているようなものだった。

それに実生活の基本的な知識も少なく、誤解が多かった。

たとえば「東京駅のほうに行く電車を上りと言います」と習うと、「東京駅ってずいぶん高い場所にあるんだなあ」などとぼんやり考えてしまう。「どっち道同じだ」という言葉を覚えると、勝手に活用して「そっち道同じで」などとやる。さらに、実名を出してはなはだ失礼だが、「葛西中学」と聞いて、「なに？　火災中学？」などと言い、クラスじゅうで笑いころげたこともある。こんな調子だから、読書なんてひたすら煩わしい。百ページも読んだら、点字を読む左手の人差し指を右手で握って労《ねぎら》う「百ページの儀式」などをやったりして、いつものろのろと本をめくっていた。

とはいえ、読書は嫌いでも、点字を打つことはけっこう愉しい。タイプライターで点字を打つのは単純に面白かったし、もう少し大きくなると、携帯用の点字板に、点筆という釘のようなもので点字を打つ機械を使えるようになり、盛んに落書きをしたものだ。たいていは、仲良しグループでやっていたごっこ遊びに出てくる、架空の学校のクラス名簿や掲示板といった、現実離れしたものだ。

この架空のクラスにいる外国人同士の手紙というのもあった。わざとたどたどしい日本語で書くのだが、その日本語も国籍によってたどたどしさが違うといった念の入れようだった。

日記もつけた。ページを二つに分け、本当の日記と架空の学校の日記を両方書く。『アンネの日記』に触発され、アメリカの友だちクリスティーへのエアメール形式で書いた時期もあった。

小学校三、四年のころは、模様作りが流行った。点字は、縦三列、横二列の六点をひとマスとして、その組み合わせで文字ができていく。だから、たとえば「コタ」と書けば円の形ができるし、「ヘム」と書けば真四角に近い形ができる。正式な記号の書き方とは少し違うが、私たちはこんな図柄をたくさん編み出しては、手紙につけて交換し合っていた。タイプライターの行を微妙にずらしながら長い線を作り、バスや自動車の絵を描いたりしたこともあった。

もう一つ好きだったのは、点字を打った紙を破る遊びだ。

六点のうち、横一列を続けて打つとミシン目のような線になる。この線は、本当は項目の終わりの印や、手紙の点字を傷つけないための折り線に使う。でも、私たちの遊びは違う。これをまっさらな紙に打ち、一度折ってから勢いよくひっちゃぶくのだ。これには、ミシン目を破るときや、クッキーの缶などに入っている空気の入ったクッションをつぶすときの奇妙な快感に近いものがある。雨の日の休み時間などは、「ほら、破れやすいよ」などと言いながら、よく紙を破いていた。

さて、私はこれを発展させた。

六点を全部打った「メ」の字を、例の方法で縦横無尽につなげて紙一面を点字で埋め、それをあらゆる角度から破りまくったのだ。単線を折って破るときと違い、一面がミシン目だから、どこからどう破っても気持ちよく裂けていく。ただ、破るときは気持ちよいが、破れた紙はじつに手触りが悪い。いやな手触りのものは、もちろんすぐに捨てる。大人から見れば、もったいないことしきりだろう。

それに、そのころは、壁でも生地でも、なにか浮き上がったぼつぼつがあれば、なんでも「あ、点字だ」と言って読んでいた。友だちのお母さんがぽつぽつの織り込まれたスカートをはいていたりすると、「あ、おばさんのスカート、アワアワって書いてある」などとみんなで膝元を指でたどりに行っては、くすぐったがられた思い出がある。

学年が進むにつれ、私にとって文字といえば点字となり、あれほど強かった墨字への憧れも、いつしか心のどこかへしまい込まれそうな雰囲気だった。

そんな私の文字ライフがもう一度墨字に向かって開かれたのは、小学三年生のときだった。その墨字を読めるようにしてくれたのが、オプタコンという米国製の触読機だった。片手が入る箱型の本体にコードでつながった小型カメラで紙をなぞり、レンズがとらえたイメージを本体の触知板に、ピンの振動で再現するものだ。

触知板は、ちょうど左手の人差し指が当たる位置にあって、文字を映すと、点字をやや広げたような触覚イメージが、電光掲示板の要領で動く。たとえば「4」という字なら、まず左下の角が点のように現れて、それから右斜め上に振動が広がり、やがて横線と縦線、そして最後に横線だけが左の彼方へ消えていく。

そのオプタコンで、私はまず楽譜と漢字かな交じり文を読んだ。

漢字は複雑で、なかなか覚えられなかった。ゴム板に載せて書くと、文字が浮き上がる特殊なビニール用紙に書き取りながら覚えるのだが、文字の分析にエネルギーをとられて、読書どころではない。それればかりか、読むのに果てしなく時間がかかるオプタコンは、これまた果てしなく単調な音を出して、恐ろしい眠気を催させる。だから訓練の時間は、いつも睡魔との闘いだった。

書き取りとなると、鉛筆をはじめて握る私には、線をまっすぐに引くのもひと仕事。筆順を守ってもろくな字にならず、自分が書いたものを確かめるのもおぞましかった。

それでも、知らない世界の勉強は面白くて、とくに一つの文字に三つの顔があることがとても新鮮に思えた。たとえば「山」という字をオプタコンで映すと、縦・横・縦・横・縦の順番で直線が出てくる。だから私には、この字は頂上のある山の形というより、箱のなかに縦線がはまっているように感じられる。

書く作業でこの字を見ると、縦線、左下の角、右の縦線という線の集まりになる。さらに、ビニール用紙に書いた山を両手で触ると、本当に山の形をしている。

つまり私にとって、山という字は、オプタコンで映した格子のような手触りと、書き順で覚えた線の集まり、そして両手で触った山の形の三つの顔をもつのである。

もう一つ面白かったのは、漢字を知って、文字空間が三次元に広がったことだ。

点字は、縦三列、横二列の六点を組み合わせた六十四種類の形で文字を作るので、漢字を読み解くような立体感がない。とくに斜めの線は、私にとってあまり縁のない、いわば遠い存在だった。だから、「冬」「外」「水」「美」「名」「夕」といった、斜め線が特徴的な漢字の手触りは好きだった。また、「外」や「多」のように斜めに立っている字は、その字に割り振られたスペースをフルに使っている感じがして、不思議な解放感があった。

ついでに書くと、「うかんむり」は、映し始めから特徴的な角度が触れるのでわかりやすく、好きな文字だった。一方、「なべぶた」は、最初は横線なのか「なべぶた」なのかわからないので嫌いな字、「ころもへん」は形が曖昧でなんだかわからず、大っ嫌いな字だった。

こんなふうに、オプタコンが取り持つ文字とのつき合いは甘いものではなかったけれど、ヤンチャ盛りの子どもがおとなしく訓練に通ったところをみると、まんざらでもなかったのかもしれない。

近所の子どもとできるだけ同じ雰囲気で遊びたかった私は、点字の本の代わりにほかの子たちと同じ墨字の本を愛用した。

小学校に入っても手当たりしだいに点字の絵本でお話を読んでは文句をそらんじていた私は、本が墨字にかわっても、まったく苦労せずに朗読遊びに加わることができた。

私は墨字本のページをめくる音も大好きだった。点字のページを繰るときには文字の凹凸に紙面の角が当たって、ズブッと歯切れの悪い音がする。墨字の本にはこの音がなく、シュワッとすっきりめくれる。私はその音を出すのが嬉しくて、隣の友だちがページをめくる音に合わせて、わざと大きな音をたてて何度もページをめくったものである。

もっとも、あとで聞いたことだが、その絵本は逆さに開いていたり、絵だけしか描かれていないページを、長々と朗読したりしていたらしい。だが、それでもよかった。

とにかく、点字本のたてる音から解放され、誰はばかることなく朗読できたのは、近所の子たちといるときだけだった。盲学校で点字のお世話になっておきながら、ずいぶん勝手な話である。

が、しかし、このことがきっかけとなって、母は数名の友だちの父母とともに、「触る絵本」作りを始め、私にも、文字以外の媒体から、お話を楽しむ機会を与えてくれることになった。

読みの遊びはこれでなんとか乗りきったが、もう一つ厄介なのに「書く」というのがあった。これも私が大好きな作業だったのに、やはり点字の枠から抜け出せなかった。

絵を描くときには、レーズライターといって、特殊なビニール用紙をラバーパッドに載せてペンで描くと、線が浮き上がるという盲人用具を使う。

まず太陽や鳥、家や木の輪郭をペンで描き、そこに点字で色を書いたシールを貼ったクレヨンを使って色を塗る。色の記憶はうっすら残っていたので、これはわりあい簡単だった。

しかし、私がやりたかったのは鉛筆の音を出すことだった。レーズライター用紙に傷がつく音で、私の絵は台無しになるように思えた。ここでも私は触れる絵を断念、三十色の色鉛筆を並べて、画用紙によい音が出るように線を描き始めた。なにを描くかなどはもはや問題ではない。とにかくみんながやっているような「シャッシャッ、シュシュシュッ」という、あの小気味よい音が出れば満足だった。

蠟石《ろうせき》遊びでは、「しの字」というゲームを開発した。しゃがんだ姿勢で、目の前の地面に「し」の字を書きながら、「しーの字」と唄う。書けたら一つ前に跳んで、また「し」と書いて「しーの字」と唄う。これを繰り返しながらどんどんスピードを上げていき、路地のはずれまでいちばん早く着いた人が勝ちという単純な遊びだった。だがこれが思いのほか人気で、チョークや蠟石を持つと「しの字」が始まるようになった。自分の開発した遊びだから、もちろん私もハンディなしで楽しめる。

こうして私は、つねに墨字や描くことにアプローチする遊び方を創造していたのであった。

でも、私の文字世界が本当に広がった、いや爆発したのは、英語にのめり込んだ中学時代からだったと思う。

英国のアイドルたちのレコードをかたっぱしから買い漁り、憑かれたように歌詞カードに向かう。アルファベットだから、漢字を読むときのような分析なしで、面白いように単語が読めていく。わからない箇所は辞書を引いてていねいにメモし、好きな歌には下手な翻訳をつけたりした。

ところで、この遊びには大事な刺激剤があった。

区役所のボランティアコーナーにお願いして探してもらった、おねえちゃまと遊んだことだ。彼女は私より五つほど年上で、毎週日曜に遊びに来てくれた。彼女も洋楽が大好きで、よく一緒にレコードを買いに行ったり、映画やコンサートに行ったものだ。アイドルの名前が出ると、二人でキャアキャア大はしゃぎしながら、歌詞カードを読みっこしたこともあった。

こうして私は、彼女との話を楽しみにしながら、オプタコンにへばりついていたのである。

私は、毎晩、歌詞カードをカメラで撫で回し、オプタコン遊びに熱中した。そして中二の夏休み、はじめて冒険小説の原書をオプタコンで読みながら全訳し、学校の夏休み作品展に提出した。

こうしてオプタコンで海の向こうの世界に触れた私は、それに乗せられるようにアメリカに留学し、その後はフランス語に熱中できたのである。

ところが、だ。そこに「音声ワープロ」なる怪物が出現した。パソコンに特殊な音声合成装置をつなぎ、ワープロやエディターで書いた文字を残らずしゃべるという代物だ。とにかく驚いた。いままで人手に頼るしかなかった書くことが、この不思議な声を聞きながら自分一人でできるのである。

それだけではない。

点字ディスプレーを使えば、電話帳級にかさばる点字本が、一枚のフロッピーに何冊もおさまってしまう。CD－ROMをつければ、『広辞苑』でも仏和辞典でも引きたい放題。パソコン自体は場所をとるけれど、これ一台で点字も墨字も自由自在になったわけだ。幸い、幼稚園時代からカナタイプを使っていたし、英文タイプも得意だったので、ワープロの漢字変換作業の要領もすぐに飲み込むことができた。

その後、コンピューターにまつわる知識も少しずつ蓄え、私は通信社で翻訳の仕事についたのである。点字という「ポワン」から始まり、いつも自分で読むことばかりに力を入れていた私の文字ライフが、今度は書くほうにも爆発したのだ。

だが本当の苦労は、じつはここから始まった。金融や国際情勢の勉強以前に、私には漢字の総復習が待っていたのだ。たとえば「上場」と書くのに、英語の listed につられて「上乗」だと思い込んでしまう。「続投」は、同じ党に残ることなどから、「続党」だと信じ込み、まさか野球用語だなどとは夢にも思わない。

ひと口に「ツイキュウ」といっても、「追求、追及、追究」といろいろ出てきて、どこでどれを使えばよいのか皆目わからない。会議を call するにも、外国なら「招集」だし、日本の国会なら「召集」するのだそうだ。同じ「シュセキ」でも、中国なら国家主席で、米国なら大統領首席補佐官。通信社のデスクも私も、ひたすら忍の一字で一つずつ法則を復習していった。

知らないことへの恥ずかしさも加わって、最初の一、二年は文字のトンネルをさまようような日々だった。オプタコンで文字が読めたと有頂天になっていた私は、書くことに直面して、すっかり意気消沈してしまったのである。

それでもいつしか、少しずつ知恵がついてきた。間違いやすい文字や面倒なフレーズなどをかたっぱしから「縮語」にして登録したのである。「にく」と書いて変換すればニューヨーク、「こそし」なら国防総省、「いた」ならインタビューといった具合に。こうして毎日適当な法則で登録するうちに、数百の「縮語」群ができた。

考えてみると、小さいころに直面していた問題は、私が盲人であるという本質からくるものばかりで、実際には、いまになってもなに一つ本当には解決していない。たとえば、あのころ読めなかった絵本が、大人になったからといって読めるようになったわけではない。触る絵本があっても、それは代用品にすぎず、晴眼児たちが手にした色とりどりの美しい絵本と同じ楽しみを与えてくれるわけではない。

墨字相手に仕事をする現在も、あのころ苦労した「読めない文字」との格闘は続いている。絵が描けなかったことは、さしずめ現在なら、パソコンのマウスが使えないのと同じ感覚だ。マウスが使えないおかげで、一部試みが始められてはいるものの、最初のOSの使用は、まだあまり能率的ではなく、けっきょく、私たちは時代の流れについていききれないのが現状だ。

子ども時代なら、むちゃくちゃに鉛筆を動かせば、少しでも気持ちがまぎれ、自然に時間が過ぎてくれた。だが、大人になってしまったいまは、そんな小さな闘いでは済まされない。

私たちのためにさまざまなソフトが開発されるまでは、点字の原稿を人の手で墨字に起こしてもらっていたので、リポート一つ書くにもたいへんな騒ぎだった。それを考えたら、書いた原稿をすべて一人で管理し、書いたままの状態で晴眼者に見てもらえるというのは、それこそ夢のような話である。

でも、たとえば私はいま、この原稿を音声ワープロでしたためているが、漢字の間違いについては、いつもひやひやものだ。前にも書いたように、職場では、デスクも同僚も、「漢字は一生の課題」と深い理解を示してくれている。表音文字で育った私にとって、漢字はそれほどの難題なのだ。

だがそれ以前に、ハイテク業界の進歩は恐ろしい勢いで、きのうまで普通に使っていた機械が、きょうからは旧型になり、それに乗るソフトさえも市場から消えていってしまう。せっかく覚えた機械が古くなるのを憂えるなどという甘いものではない。マスターして使えるものならなんでもするけれど、私たちが使える機械がやっと誕生したと思うと、その機械が、日々消えていくのだ。だから私たちは、文明からいつ取り残されるかという不安と隣り合わせに生きているわけだ。

最近では、少しずついろいろな開発が進んでいるという話もちらほら聞くけれど、早く、誰でも簡単に、スピーディーに使える盲人用メカが登場するのを、ひたすら待つばかりである。

考えてみると、私はどんなにおしゃべりが好きでも、本当に伝えたい気持ちを表すときにはパソコンやノートに向かう。

私にとって文字は、単なる生活に必須な技術にとどまらなくなっている。もともと歌より楽器、言葉より文字で心の波を表現するのが性に合っていることもあるだろう。

語学にしても、通訳より翻訳が合っているとつくづく思う。心に留まった出来事があれば自然に日記帳に手が伸びるし、野外でもためらわずにノートを取り出す。部屋には細かに書き込んだノートが山ほどあって、飼い鳥の記録から故事の引用まで、とにかくなんでも書き留めてある。あれほど厄介だった文字が、いまではこんなに大切な存在になっているのだった。

さてそうなると、少しばかり文字が使えるくらいで安心してはいられない。いまの夢は、私なりの文字遣いを見つけること。文字と出会い、つき合ったこれまでよりも一層長くかかるかもしれない。けれど、もし読者が私の文章をイメージでつかめるような文字遣いができたら、どんなに素敵だろう。そうなれば、文字は一種の絵になり、それを書く人は、さながら文字の絵師とでも言おうか。けっきょく私は、これまでの時間をかけて、ようやく文字とはどんなものかをおぼろげに理解したらしい。そしてようやく、文字をめぐる生涯の目標にたどり着いた。

いろんなことを経てきたように見えても、私の文字ライフは、本当はいまやっと動き出したところなのだ。

こんなふうに、試行錯誤を繰り返しながらゆるゆると人生を歩む私の生き方は、さながら縁日の金魚すくいのようなものに思える。晴眼者にとってはちょっとした水槽なのだろうが、そのなかから小さくて逃げ足の速い金魚をすくうのは、私には至難の業だ。それをすくうことができれば、赤い色が光り輝き、またとない宝石を手にしたくらいの素晴らしい収穫となるのだろう。だが、そうなるまでには多くの網を破り、幾万滴の水をこぼさなければならない。それでもすくうことができたなら、それをどうにかして活用して、次のひとすくいにとりかかるのだ。隙間だらけの人生というわけだ。

しかし、いまさら世の中を怨んだり、惨めに運命を呪ったりはしない。私自身は、視覚を失った分だけ愛情や友情を余分にいただいている気がするし、「なぜ、自分だけが見えないのか」などと問うてみても意味のある結論は出ないと思う。見えないことは私の自然な状態であり、たった四年でも、見えた時期を経験できたことは、それなりに一つの恩典であったろう。

ああ、それでも、もう一度見えるようになってみたい。一日でも視力が与えられたら、とはよくある質問だが、ぜひ見たいものがある。それは、私の世界を宇宙的に開いてくれたサンコウチョウだ。南国の森林からはるばる渡ってきて、この国の夏にかけがえのないひと色を添える「天女の化身《けしん》」の姿を確かめてみたい。けれども、そんなささやかな希望さえも夢で終わると知っていることが、やはりちょっぴり悔しい。

後ろの不思議

後ろから助けられたことが何回もある。どうにも前に進めなくなり、ふと動作が止まって振り返ると、なぜかそこにいた人が助言を与えてくれたりするのだ。おっちょこちょいの私は、しょっちゅう、つまらないことで困惑する。そんなとき、助けはほとんど後ろから来た。

そういえば、盲人がなにか習ったり訓練したりする場合、一般的に指示は後ろから来るようにも思う。

たとえば、普通のスキー教室などでは、先生が先頭に立って指示を出し、生徒たちはカルガモの子どもよろしく後ろからついていく。彼らへの指示は、手本を見るための目の先である、前からやってくるわけだ。だが、私たちのスキーの場合は、先生は私たちの速度に合わせて後ろから滑り、「止まれ」「右」などと指示してくれる。歩行訓練のときも、先生はいつも後ろから助言してくれた。

だからいま思うと、後ろは私にとって、最初から大事な方向だったのかもしれない。

エスカレーターが、その日だけ逆方向に動いていたときも、助けは後ろからやってきた。私は見えないのにせっかちなところがある。だからこの日も、まさかそんなことがあるとは夢にも思わず、ろくに注意もしないでエスカレーターに踏み込んだのだ。最初はなにが起こったかわからなかった。そのままもがきながら悟ったところでは、どうも上りのはずの階段がどんどん下がってきているらしい。私は急流を遡るサケのような気分になり、ベルトにしがみついた。

すると、後ろからヒョイと抱き上げられ、見事に地上に引き戻されたのである。そのおじさんは、「ホイッ」と声をかけながら私を地面に降ろし、「わしもわからんと乗ってしもて」と朗らかな関西弁で話しかけてくれた。

そのエスカレーターが止まっていたときも、やはり後ろから教えてもらった。いままでは、エスカレーターに乗るときにはかならず、ベルトの進行方向と足元の流れを確かめている。

都会の人びとはたいてい自分のことで精いっぱいなのか、一瞬待って考えればすぐに察せられることでも、なかなか悟ってもらえない。黙っているときはもちろん、助けを求めても行き届いた援助をいただけることは、かなり少ないと言ってもいいだろう。ところが私の場合、エスカレーターのときのように、せっぱ詰まって振り向くと、なぜか後ろから、私の困惑が百パーセント読まれたかのようなアドバイスが返ってくるのだ。

ちょっと不思議な体験もある。

その日私は、会社に向かうエレベーターに乗った。私のオフィスは五階。先に乗っていた人はたしかに三階で降りたはずだった。

ところが、五階で私が降りようとすると、誰もいないはずの室内でボタンを押す音が聞こえたのだ。私はあわてて隅々まで杖を動かしたが、人間には当たらなかった。それに、このくらい狭い室内であれば、見えなくても人がいるかいないか、全員が降りたかぐらいのことは、ほぼわかるものだ。それなのにこのボタンの音、これは不気味だ、と思いながらも、ただの聞き違いと軽く流して一日の仕事を終えた。

その日の帰り道のことだ。改札口に差しかかったところで、前から走ってきた人がそのまま私に突進してきた。私は後ろに倒れた。自然に倒れれば手摺《てすり》に頭を強打したはずだった。

ところが、倒れた瞬間、後ろから爽やかな風が吹いたような気がして、私は足を投げ出した姿勢で尻餅をついた。かなりの勢いで倒れたので驚きはしたものの、体のどこも痛まない。突進してきた人はとうに彼方《かなた》に行ってしまい、私は一人で立ち上がってそろそろと歩き始めた。

いま思い出しても、あの朝の不気味なボタンの音と帰りの後ろ風は、なんとなく結びついてしまう。

思えば、父方の祖父母はすでに亡くなっている。そしてこの日は、ちょうど彼岸の入りだった。

飼い鳥に後ろの大切さを教えられたこともある。

わが家にいるソウシチョウはよく、とまり木から振り向いて、じっとのぞくことがある。鳥の目が離れてついているかららしいのだが、それはともかく、彼らにとって後ろは絶対に無視できない方向のようだ。たとえ飼い鳥といえども、後ろからなにが襲ってくるかわからない。自然界に暮らしていればなおさら、ただ前ばかり見ていたのではすぐに天敵に捕まってしまうだろう。だから籠の鳥たちでも、背後から近づくと、いったんとまり木でじっとする。そして首をいっぱい伸ばして私を見つめる。そんな彼らの緊張感で、私もちょっとどきどきする。

こんなことを繰り返しつつ、私もいつか、振り返る動作を身につけたのかもしれない。

後ろを経験したのは、都会でだけではない。

数年前からバードウォッチングならぬバードリスニングに夢中になり、山野に出向いて耳を澄ませることが多くなった。

考えてみると、それまでは前方の安全を確かめることに気をとられていたせいか、私の耳はいつも前や横の音ばかりを追っていたように思う。いまでも都会で前進しているときには、後ろにまでは気がまわらないことがほとんどだ。だがバードリスニングを始め、前に歩くことばかりでなく立ち止まることを覚えると、景色のとおりに棲《す》み分け、歌い分ける鳥たちの声が立体的に聞こえ始めたのだ。そして、百種類以上の声を聞き分けるようにもなれば、鳥声は耳で聞く景色になってくる。

たとえば、付近の森がどのくらいの深さでどんな樹種なのか、山がどのくらい広いか、空がどんな天気かなど、晴眼者が目で見ている景色が、音を通して直接、見えるようになるのだ。

すると今度は、いままで知っていたのにあまり意識していなかった後ろや上からも、さまざまな景色が伝わってくるのである。

さえずりのなかにたたずんでいると、鳥の声だけでなく、はるか後方の山々の息吹や草の揺れる音など、自然の躍動が聞こえてくることもあった。もちろん、いま立っている場所で聞こえる鳥ではなく、樹種の違う森にいそうな鳥の声もする。春は新緑の薫りを運ぶ南風、秋には紅葉を騒がせる一陣の風が、彼方から近くへと順番に草原をなびかせるのだ。空の音はあまりないけれど、雷《かみなり》が鳴れば空の厚みのようなものを感じるし、鳥の声の余韻がどのくらい高く響くかで、その場所の開け方も感じることができる。

考えてみれば、いま私が立っている方向は自然のほんの一点にすぎない。だから私にとっては意識の薄い後ろにも、自然の営みの重要な前面があるかもしれない。この一点からの視野は、私には前後という特定の方向であっても、自然にとっては前でも後ろでもない。自然はいつも、三次元いっぱいに動いているのだ。

私の場合、実体のあるものの大きさを知る手段は、ほとんど手で触ることにかぎられる。もう少し広がったところで、せいぜい白杖の届く範囲、あるいは自分の足で歩いていける場所といった程度だ。

言い換えると、晴眼者ではない私が、音も出さず、形にも触れない山並を見て感動する、といった類の感覚を味わうのはとても難しい。空一つとっても、両手を上げた先に空があると説明されても、雷でも鳴らないかぎり本当に空があるかどうかは保証されていない。

そういうわけで、景色を楽しむには、もっぱら人の説明を頼りに、頭に残っている記憶やわずかな知識からすべてを自分で再現していた。要するに、鳥の声を聞き分けられなかったころは、せせこましい日常生活に翻弄されるばかりで、後ろのような立体的な方向を気に留めることは稀だったのである。

ところが、自然界に飛び込んで鳥や樹木、風の音を聞いたとき、私ははじめて自分にも後ろがあり、三百六十度の方向が与えられていることに気がついた。そして、そのことを噛みしめて、ふたたび耳を澄ませてみると、たしかにあらゆる方向から同じくらいさまざまな音が聞こえてきた。

こうして私は、「野原とはこれほど広いものか」と感動し、鼓膜からかいま見た景色をいまさらのように堪能することができた。そして、いま聞こえている鳥や風、草木の向こうに、自然という大いなる後ろを感じたのだった。

最近、前向きという言葉が流行しているのか、流行りの歌などでも、前向きが連発されたりする。たしかに過去の弊害を捨てて前向きに生きることは、いつの時代でも大切だと思う。あるときには、すべてをかなぐり捨てて前を見なければならないこともある。

けれども、こんなふうに後ろから助けられたり、予想もしなかった音を聞く経験が多いせいか、私には、前と同じように後ろも大切に思えてならない。

多くの人びとの前方は、よい方向という意味で、だいたい同じところなのではないだろうか。だが後ろとなると、それは一人ひとり、一国一国、また民族ごとにも違っている。そしてそれが伝統となり、地方らしさ、国柄となり、またダイナミックな生態系となって現在を形作る。

だから、後ろ、過去だからといって、かならずしもかなぐり捨てるべきものばかりではないように思えるのだ。むしろ多種多様だからこそ、後ろは大事なのではなかろうか。

そんなわけで私はいつも、前と同時に後ろを忘れることができない。それは時には私自身の過去だったり、日本人、アジア人として背負っている歴史だったり、ひと口に後ろと言ってもいろいろな意味がある。けれど、どんな立場にあっても、振り向けばなにかが見えてくるかもしれない、と思わずにはいられない。私にとって後ろとは、いざというときになにか素晴らしいものがやってくる可能性を秘めた、ちょっと不思議な方向なのである。

あとがき

一九九一年末から、母方の祖母が手術のため三カ月入院することになり、近くに住んでいる私たち家族が看病をすることになった。当時、大学院にいた私は、講義といっても週に何回かで、あとはひたすら家か図書館で資料を集める生活だった。そこで、私が一人っ子なこともあり、私たち家族は一時、祖父と暮らすことになった。私は週末だけ、ピアノの練習に父と帰宅し、日曜の夜に祖父のもとに戻っていた。

耳の遠い祖父は当時八十二歳で、私をことさらに可愛がってくれた。けれど、見えない私と、耳の遠い祖父の間には、どんなに深い愛情があっても会話の難しさが立ちはだかっていた。だから、母が祖母の看病で家を空けている間は厳しい時間だった。わがままな私はそれでも精いっぱい頑張ったのだが、はじめての経験のプレッシャーに負け、とうとう熱など出したりした。

年が明けて、祖母が無事退院したのを見届け、家族全員ようやくわが家に戻ってから三日後のこと。買い物に出た母がうきうきと帰ってきて、「鳥を買ってきたわよ」と言った。小学校のころの情操教育時代はともかく、それまでどんなにペットを飼いたがっても「駄目」のひと言で終わらせていた母だ。「鳥を買った」と言われても、私は焼鳥でも作るのかと思って、「生の？」と聞いてしまった。

「生も生。生きてるやつ」

「なに？　毛でもむしるわけ？」と聞き返すのもわれながら無理はない。これが私とソウシチョウの出会いだった。

飼ってみれば、その可愛いこと、利口なこと。あとでわかったのだが、その利発さは飼い鳥で有名なカナリアの比ではなかった。自分の名前は一カ月で聞き分けて寄ってくるし、鳥ごとに歌がどんどん増えていき、一羽ずつまったく違う歌を十数種類も生み出していく。いわゆる「付子《つけこ》」の楽しみがあるのだ。放し飼いにすれば、人間が探しているのを見ては、先回りして家に帰っていたりする。

それこそソウシチョウだけで一冊、本が書けそうなくらい愉しいのである。実際、ソウシチョウについてなにか書くことも、私の夢の一つだ。

そしてなにより、彼らは私に光の存在を思い出させてくれた。彼らは曇りの日にはさえない歌しか歌わないのに、雲間から少しでも太陽が顔を出すと、たちまち張りのある美しいさえずりを始める。それを聞いているだけで、私はそのときの明るさが手にとるようにわかることに気がついた。鳥が空を教えてくれたのである。

そうこうするうち、私は鳥の歌の美しさだけでなく、それらが伝えるシグナルやそれらに託された光のメッセージを読み取るのが好きになり、ソウシチョウだけでなく、家にやってくる野鳥の鳴き声にも耳を澄ますようになっていった。私の探鳥第一歩である。

探鳥を通して自然に出会ってから、私はときどき目が見えているような錯覚に陥ることがある。事物の仕組みを理解することから始まって、その集大成とも言える自然に感動できると、今度は人間の世界にいるときでも、なにかが違ってきたらしいのだ。

たとえば、オフィスに入る。すると、そこに誰がいて、なにをしているのかがすぐに耳でつかめる。黙っている人については、香水を頼りに見当をつけたりする。

人混みを歩くときには、目の前だけでなく、広場の向こうや車の混雑にも気がまわる。反対にドライブのときには、窓を開ければそこが町なのか村なのか、あるいは森を突き通した国道なのかがよくわかる。そんなことは、それまで意識したこともなかった。自然に出会ってからは、いまいる場所を、空間として全部とらえられるようになったのである。

けれどなによりも嬉しかったのは、自然との出会いで、発見に終わりがないのがわかったことだ。生涯学習とはよく言ったもので、勉強だけでなく、五感も心も、研ぎ澄ませば、いつでも発見のチャンスがあるのである。

ところで、この本では、さまざまな人たちに助けられ、教えていただいた話を書いた。それはもちろん、私の経験だから私の過去として書かれた形になっている。でも、じつは、私の時間はすべて、さまざまな人びとが織り成してくれた曼陀羅《まんだら》である。私を育んでくれた両親の苦労は、それだけでまた本になるくらいのものであろう。また、物心両面で生きる力を与え、援助してくれたボランティアの方々や、愉しいことも苦しいことも分かち合い、自分のことのように親身につき合ってくれる友人たちがいる。そして、学校の内外を問わず、私を一人の人間として育み、現在まで遠くから見守りながら導いてくださる数々の恩師や師匠がいる。

　それらすべての人びとに、私は心から感謝している。本のなかでは、一部の人だけに対する感謝ばかりを浮き彫りにしないよう、このことにはあまり触れられなかったので、この場を借りて、その気持ちを記しておきたいと思う。

　ここで本書について少し説明すると、書き留めていた短編が、今年（一九九八年）のＮＨＫ学園創立三十五周年記念「第二回自分史文学賞」の大賞をいただいた。受賞後、「ＮＨＫラジオ深夜便」「ＮＨＫＦＭシアター」などの番組で取り上げていただき、多くの方から激励のお手紙をいただいたのは嬉しかった。本書はその作品を大幅に改稿し、新たな構想でまとめ上梓したものである。

　私を寛容に見守り、多くをご教示くださったＮＨＫ学園の内海靖彦先生、出版の場を与え、万事につけて不案内な私に貴重なご助言と示唆をくださったＮＨＫ出版の長岡信孝編集部長。お二人にはひとかたならぬお世話になった。この機会に、改めて心よりお礼を申し上げる。

　また、私とかかわってくださった多くの方々のご協力と励ましのおかげで、この本はでき上がったと思っている。心から感謝と敬意を表したい。そして、本書に最後までおつき合いいただいた読者の皆様、本当にありがとうございました。

三宮　麻由子

一九九八年夏

文庫化によせて

この本が産声を上げたころは、文字の伝達方法が紙から電子データに代わるちょうど過渡期にあたる時期だった気がする。周囲でインターネットを使っていた人はまだ少数派で、文字はたいてい、ファックスか郵便で送られていた。井上ひさしさんふうに言えば、「ちびた鉛筆をなめながら原稿用紙の枡目を埋めて」いる作家の方も多かったことだろう。井上さんがワープロを勉強されているという文章を読んだのも、まさにこのころだったかもしれない。

残念ながら、私は憧れの鉛筆がちびるほどものを書いた経験もなければ、そのちびた鉛筆をなめながら原稿用紙に向かった経験もない。ただこの本のときだけは、紙の手応えを感じながら原稿を書く気持ちを味わうことができた。思えばそれは、メールが開通する前に味わった貴重な感触だ。

ＮＨＫ学園で「自分史文学賞」の大賞を受賞し、この本の上梓が決まって加筆原稿を送ることになったとき、私はパソコンで作った原稿を一抱えもあるでっかいプリンターで印刷し、一枚一枚ファックスした。機械の端っこに差し込んだ紙がズズズズと鈍い音を立てながら機械に食べられていき、反対側から少しずつ出てくる。まるでブラックホールに吸い込まれた星くずがホワイトホールから飛び出してくるみたい、などと当たっているような、いないようなことを想像しながら、紙が動いていくのを指で追っていた。それは原稿用紙の枡目を埋めているときの気分に少しだけ似ていたかもしれない。一つ一つの積み重ねでこんなにたくさんの文字が伝わっていく。不思議な感動だった。受賞の記念になってよかったと思っていた。

ところがその後、この本はさまざまな読者の心に届けられ、励ましや悦びの言葉をたくさん頂いた。驚いているうちに二冊目、三冊目と出版して頂けることになり、さらに驚いた。そのうちに、この本はＮＨＫのライブラリー版に収められ、恐れ多くも阿川佐和子さんに心のこもった素晴らしい解説を添えて頂く栄誉にあずかってしまった。そしてこのたびは、集英社の文庫にまで入れて頂き、またもや恐れ多くも阿川さんとの対談が収録されることになった。驚き、桃ノ木、山椒ノ木の三拍子で、この本はこんなにみなさんに応援して頂き続けているのだ。

俳句のことなど、今読むと「まだ嘴が黄色いわね」と苦笑してしまうところばかりだが、読者のみなさんと、本の中に飛び交う小鳥たちに励まされ、本書は三度蒼穹に羽ばたくことができた。

文庫化にあたり、集英社編集部のＩ氏には、愛情に満ちたサポートを頂いた。また前編集部長のＹ氏にも、温かい助言を多々頂いている。ここに心より感謝申し上げる。

そして読者のみなさん、これからも応援お願いいたします。

願わくは、地球が小鳥たちにとって永遠の故郷とならんことを。

二〇〇四年夏　オオルリのさえずりを聞きながら

三宮　麻由子

対談　鳥と自然に生かされて

阿川佐和子
三宮麻由子

お転婆で負けず嫌い

阿川　昨日の夜も三宮さんのご本を読んでいて、また泣いちゃいました。なんて清らかな心を持ってらっしゃるんだろうと思って。私は三宮さんの本を母に電話で読んで聞かせるんですよ、そうすると電話口で母が泣き出す（笑）。もう大変なんです。

三宮　ありがとうございます。そう言っていただけると光栄です。

私、いつもテレビで阿川さんのお声を聞かせていただいているのですけれど、やはり生のお声は違うんですね、マイクを通したお声も綺麗だと思いましたけど。

阿川　違いますか？

三宮　ええ、全然。やはり生のほうが素敵です。

阿川　そうかなあ。照れますなあ（笑）。

ところで、今度『青春と読書』で連載が始まるということですが、エッセイをお書きになるの？

三宮　はい。ロングストーリーのあるものなど……。

阿川　私、三宮さんの本を読んでいて、最初のうちは、この人は目が見えないんだって思いながら読んでいるんだけど、途中でそれを忘れてしまうんですよね。というのも、山の景色とか、鳥が飛んでいる姿とかすごく表現が立体的で、まるで一緒に歩いているようで。えっ、少し見えたんだっけ？　とか思ったりするくらい素晴らしいんですよ。

三宮さんは四歳のときに視力を失われたということですけど、それ以前に目で見た景色は何か覚えてらっしゃいます？

三宮　子供の目線なのであんまり正確に覚えているかどうかわからないんですけど、

阿川佐和子氏

空にある星、月、太陽とか、そういうのはよく覚えています。星がちょっと赤っぽかったとか、太陽がちょっとオレンジがかったようなとか、あと夕焼けですね。それから、屋根の緑とか、緑の金網、緑のホース……。

なんか緑ばっかり覚えていて、本当はもっといろんな色の金網もホースもあるはずなんですけど、いまだにホースって言われるとなぜか青っぽい色を思い出す。ただ、人の顔は覚えていなくて、親の顔を知らないんですね、私。毎日会ってるんですけど。子供の記憶って勝手ですよね（笑）。

阿川　三宮さんは小さいとき、しょっちゅう物にぶつかって血を流していたそうですけど、ぶつかると危ないということを認識していない時期があったんですか。

三宮　その辺が微妙なところで、おそらく頭では自分は見えていないということはわかっているんです。でも、見えないけど全然気にしていないんだというところがあったようなんですね。だから、男の子と走り回ったり、公園のブランコに乗ったり。

阿川　あえて活発に動くことでそれを克服しようと。けっこうお転婆だったんですか。

三宮　ええ、今でも（笑）。

阿川　お転婆は天性のもの？

三宮　はい、見えていたらもっとお転婆だったかもしれません。

阿川　でも一度ケガをすれば、走ることやブランコに乗ることに対して恐怖心が湧くんじゃないですか。

三宮　普通はそうですよね。今でもそうなんですけれど、私は無我夢中になると恐怖を忘れちゃうんです。ですから小さい頃も多分恐怖はなかったんじゃないかと思います。

阿川　でもケガだらけだったんでしょう。一番大ケガをしたのは？

三宮　小学校に遊動円木という、船みたいな長いブランコがあって、当時そこから飛び降りるというのが流行《はや》っていたんです。

阿川　飛び降りる？

三宮　ええ。盲学校で飛び降りられたのが私だけだったのかな。いつもは若干スピードを落としてから飛び降りていたんですけど、そのときはスピードを落とさずに飛び降りちゃったので、ブランコが追っかけてきて顔面にぶつかったんです。

阿川　やだ、痛そー！

三宮　でも、鼻血だけですんだというのは、さすがに子供ですよね（笑）。そのときに、これは私が勇気の証明のために飛び降りたんだから泣いちゃいけないと思って、泣かずに鼻血を流しながら保健室へ行ったんです。

阿川　お転婆の上に負けず嫌いなんだ（笑）。

杖を抱きながらお昼寝

阿川　三宮さんの『鳥が教えてくれた空』（ＮＨＫライブラリー版）の解説にも書いたんですけど、五感を一つでも失った人は、その欠如を補うために残りの四つがおのずと鋭敏になって優れた才能が出るというのは間違いで、それは努力して勝ち得るものなんですね。たとえば三宮さんの場合には、触覚、触るのが苦手だということですけど、そうすると、子供によっては割に聴覚は苦手とかいろいろあるわけですか。

三宮　あると思います。ただ、見えない子で聴覚が苦手だと命に関わるので、あまりそれはないと思いますけど。でも音楽をやっているかいないかとか、そういう差は出てきますね。

阿川　三宮さんはいくつからピアノを?

三宮　四歳からです。私、外では子供たちとワイワイ遊んでるんですけど、エネルギーを使い果たしてしまうのか、家に帰ってくると、ストンと力が抜けて何にもしない子だったらしいんです。それでも、ピアノだけは自分から叩いて遊んでいたそうなんです。それで、母は私が自分から楽しく遊んでいるのならと、ピアノの先生の所へ連れて行ったんです。それが初めてです。

それに、私が生まれてからずっと、母はいつもクラシックの音楽をバックグラウンド・ミュージックのようにかけてくれていて、いつもいつも音楽の流れている家だったんです。

阿川　じゃあ、耳でなじんでいらしたんだ。

三宮　ええ、音楽の世界には自然に入っていけたんですけど、当時の私はまだ小さくて力がなかったから、鍵盤を叩いてもキーが降りなかったんです。で、先生がピアノを弾くのはまだ無理だからリズム遊びをしましょうと、一年くらいリトミックをやり続けたんです。蝶々の格好をして先生の周りを踊ったり。でも、そのリズムが頭の中に染みこんでいたので、いざ弾き出すと、みんなより先に弾けてしまう。

阿川　音階などということを理屈で覚えるよりも前に体で覚えちゃったんですね。

三宮　ええ。ですから付点音符とかそういう複雑なものも、付点という言葉はわからなくても、正確にわかる。

阿川　その頃すでに絶対音感がついていたんですか。

三宮　はい。だから、お茶碗をポンと叩いて、今のはソだとか。

阿川　すごい。そうすると、弾くのが楽しいでしょうね。

三宮　一回歌を聞けばコードがとれるわけですから、アグネス・チャンさんの歌とか、チェリッシュの『てんとう虫のサンバ』とか、その頃、流行っていた歌をよく弾いていました。こういうと歳がばれちゃいますけど(笑)。

阿川　何言ってるんですか、『てんとう虫のサンバ』が流行っていた頃、私はすでに大学生だったぞ……（笑）。

そういう音楽環境があったから、耳は他の子に比べても優れていたんですね。

三宮　音楽に関してはそうだと思います。その代わり、いわゆる生活聴力はまだ育っていなくて、たとえば道を歩いていてがちゃがちゃという音がするとパチンコ屋さんだとか、そういう判断をするための音の聞き方ができない。だから目の前で音がしていても、それが何か判断ができなくて、ここはどこ？　という感じで、そういうギャップはありました。

阿川　命に関わることだから、信号の音だとか車の音だとか、最低限の音は覚えなさいと教育されるわけですか。

三宮　ええ。それから、小学校一年生で初めて白い杖を持たされるんです。それまでは杖なしで感覚だけで歩いていたので、ぶつかるのが当たり前と思っていたんですが、杖を持っていると、とりあえず体はぶつからない。嬉しくて学校から帰ってきて杖を抱っこしてお昼寝をしたのを覚えています。

阿川　ウーン、可愛い。

三宮　杖って、いろいろな突き方があって、トントントンと突いたり、あるいはスライドさせたりとか、階段のときの持ち方、それも上がるときの持ち方、降りるときの持ち方とかいろいろあって、ちょっとずつ訓練するんです。そうやって杖の練習から始まって、だんだん車の聞き分けとかもやっていくんですね。

阿川　自転車も乗っていらしたんですよね。

三宮　今は車が多くて乗れないですけど、昔は子供が自転車に乗っていると車はけっこうスピードを落としてくれたんですよね。だからあんまり怖くなくて、逆におじさんを轢《ひ》いちゃったことがあるんです。なんか柔らかいものに当たって、どうしたのかと思ったら、おじさんが、「痛いな、あんたは」って言ったんです。で、私も「すいません、目が見えないもので許してください」と言ったら、おじさん、絶句して（笑）。

阿川　目が見えない女の子が自転車に乗っているとは、あちらも思わなかったでしょうね。

それから、高校一年生のときにアメリカへ留学なさるわけですけど、それはご自分から行きたいと希望されたんですか。

三宮　はい。学校が留学の希望者を募ったときに私と一緒に何人か手を挙げたんですけど、おそらく親御さんがやめなさいというのに素直に従って、だんだん減っていって。

阿川　三宮家はどうだったんですか。

三宮　最初は両親に何も言わなかったんです。別に隠していたというのじゃなくて、特に報告もせずにいて、決まったときに留学することにしたからと言ったら、びっくり仰天して（笑）。

阿川　どうして行きたかったんですか。

三宮　小学生のときから英語を習っていましたし、アメリカで英語を話したかったんです。それに、中学へ進むときに、普通学校に行きたいと思ってアタックしたところ、なぜ入りたいかを作文に書かせられたんです。それで書いたら、その普通学校の先生が、これは作文ではなくて「檄文《げきぶん》」だと言ったそうなんです。

阿川 どういう内容だったの？

三宮 幸か不幸か手元に残っていなくて、覚えていないんです。ただ、盲学校に通うということは、一日の大半を見えない世界で過ごすということで、もちろん、残りの時間はスイミングスクールとか見える世界にもいたんですけれど、学校という場で見える世界にいたかったというのがすごくあったんですね。
その頃から、そういう思いがありましたから、留学のときも、とにかく行きたい、と。

阿川 その檄文を含めて、文章を書くのは好きだったんですか。

三宮 好きだったんでしょうね。初めて文章で認められて嬉しかったのも、やはり小学校六年生のときで、「いくら気をつけても」というタイトルで作文を書いたところ、文部大臣賞をいただいたことがあったんです。

阿川 キャーッ、カッコい〜！

三宮　駅前の放置自転車のことを書いたんです。ピアノの教室に行くときに通る駅の付近にたくさんの自転車があって、よけてもよけても自転車の森の中に入ってしまったようで。おまけに、車輪のスポークの間に杖が入ってしまい抜けなくなったりして杖が使えない。みんなは私たちに気をつけて歩きなさいと言うけれど、いくら気をつけても気をつけられないこともあるんだということを書いたんです。

でも、それも表彰状だけ残っていて、肝心の文章は残っていなくて（笑）。

阿川　でも、探せばきっと見つかりますよ。

三宮　埋蔵金じゃないんですから、掘り出さないでください（笑）。

阿川　埋蔵金じゃなくてマユゾウキンよ。

三宮　うまい、座布団五枚（笑）。

自然に生かされている私

阿川　話は戻りますけど、留学をなさった結果いかがでした？

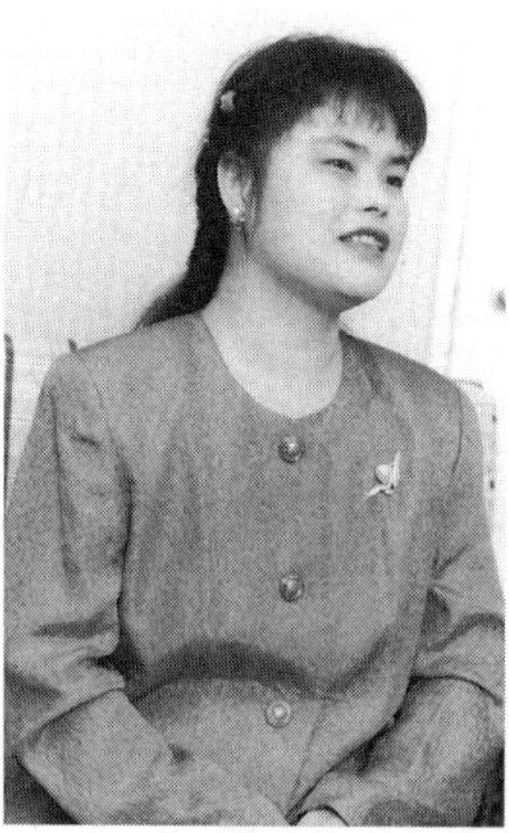

三宮麻由子氏

三宮　悲喜こもごもで、でもそのときは悲しいなと思っても、あとで考えると必ず糧になっているんですね。

阿川　どうしてそういうふうに前向きなんですか。「神様の箸休め」という考えもそうだし、『そっと耳を澄ませば』（日本放送出版協会）の中で、「もし、目が見えるようになると言われたら、晴眼者に戻りたいと思いますか」という質問に対して、「いつもいつも見えるようになりたいと思っていなければいられない人生より、見えなくて不便だけれど、これで十分幸せだって思える人生のほうが、本当の意味で幸せではないかと思うんです」と答えていらっしゃいますよね。

あの言葉はほんとにズキーンと胸にきて、そうか、こうやって生きるんだって、本を読ませていただいてどれほど励みになったことか。そういう志向はどこから生まれて、そこに至ったんですか。

三宮　やっぱり自然や鳥と出会ったことが大きかったですね。もともとそういう伏線がずっとあって、それが鳥に出会ったことで爆発して開いたということだと思うんですけれど。

阿川　本にも書いていらしたけど、バード・リスニングは、ソウシチョウを飼い始めたのがきっかけですよね。

三宮　ええ、多いときには五羽くらいいいて、それが順繰りに鳴き交わしていって、サラウンド方式というか、家中のあちこちから鳴き声が聞こえてくる。それを部屋で聞くというのは至福ですね。

阿川　今、鳥の声は何種類くらい聞き分けられるんですか。

三宮　五十種類くらい覚えたところで、実際に野外に出て探鳥会に行ったんですね。それでいろいろ覚え方もわかってきて、今は二百から二百五十くらい覚えていますが、ライブで聞いたことがあるのは百二十五種類くらい。日本だけでも亜種とか渡り鳥とかも合わせると五百から六百種類いるといわれていますから、それの半分いってるかどうかなんですけど、カラの仲間、ヒタキの仲間とか聞き分けられれば、ほとんどの鳥はわかります。

阿川　声はCDで聞くとして、鳥に関わる知識のほうはどうやって身につけるんですか。

三宮　図鑑とかは、字の部分だけを点字に直してもらってそれを何度も読んで覚える、というより面白がって読んでいるうちに自然と覚えるんです。ピアノの曲を覚えるように、好きなことだからさっと覚えちゃうんですね。で、生態がわかると、その鳥の鳴き声で自分の立っているところが開けた藪《やぶ》か灌木《かんぼく》かとか、鳴き声の響きで山が迫っているかどうかがわかり、頭の中に立体的な地図ができてくる。

阿川　それから天気もわかる。

三宮　空気の感じでもわかるし、鳥の鳴き方からもわかります。天候によって鳥の鳴き方が違うんですね。そういうふうに鳥の声を聞いていたら、自然と同化する感覚というのが強く生まれてきたんです。音波って直接鼓膜に入ってくるものだから、鼓膜で小鳥に触っているというか、山の景色がそのまま体に入ってくる感じなんです。

そうすると、「山は美しい」という、そんな距離を置いた表現ではすまなくなって、こういう自然の中にいて、こうやって私は生かされているんだなと悟るわけです。

阿川　「箸休め」の発想というのもそういうところから生まれたわけですか。

三宮　たとえば、仕事で翻訳をするときに、晴眼者と同じレベルのことを要求されると、どうしてもハンディキャップがあるんです。私としてはこれ以上ないくらい上達したと思っても、他のみんなはそれ以上に上達していて、アキレスと亀じゃないですけど、永遠に追いつけない。そこで私というものをどうやって位置づけていくのかと問うたときに、私は障害者であっても努力して百パーセント発揮しているわけだから、そこにおいては他の人と同じはずだ、できることをやって結果として戦力になった、そう考えることで、仕事のことは決着がついたんです。

でも、人生、生きる人間社会の中では結果が出てこないんですね。そのときに、鳥たちのことを思ったんです。鳥たちは自分の位置づけはどうかなんてことを考えずに生きている。たとえば私が水をあげなかったら死んでしまうのに、私が行くことを信頼し、その水に毒が入っていないことも信頼して嬉しそうに飲んでくれる。その生きる姿を見て、こんなにちっちゃいけど、もしこの世に鳥がいなかったら、ほんとに世の中は味気ない。だから弱い強い、できるできないじゃなくて、その存在自体に意味があるんだ。ということは、私だってできないことがいっぱいあって、小さい存在だけど、ここに生まれたということは存在する意味があるんだろうなと。決してメインディッシュではないけれど、神様の箸休めにならなれる。そう思ったときに、やっと私の居場所というか、心の置き場所が見つかったような気がして。

阿川　それはとてつもない発見ですね。

三宮　自分、自分とだけ思っていたり、私はどうすればいいかとばかり問いかけているると、そういう答えは出てこない。鳥とか生命《いのち》のレベルでようやく初めてわかるものなんですね。よくわかりました、それまでの私は自分というものに束縛されていたんだなと。

阿川　本も三冊（二〇〇二年十月現在）お書きになって、これから連載も始まって、今いかがです？

三宮　やっぱり初志貫徹というか、私の文章を読んだ人が同じように解放感を味わっていただけるように、私にできる方法でメッセージを出していきたいです。みんなが元気で生きていけるような、そういう人を一人でもふやすために、私ができることがあればいいかなと思っています。

阿川　これから何かやってみたいことはありますか。

三宮　カヤックをやってみたいんです。それからパラグライダーもやってみたいし、象にも乗ってみたいし、イルカと泳いでもみたい、ただし浮き輪付けてですけどね（笑）。

阿川　それ全部やるのは大変そうですけど、三宮さんならできるかもしれない。やりたいことをどんどんやってください。私、後から付いていきますから（笑）。

二〇〇二年十月、ホテル日航東京にて。撮影・小池守。

（初出『青春と読書』二〇〇二年十二月号）

この作品は一九九八年九月、日本放送出版協会より刊行されました。

集英社文庫　目録（日本文学）

佐藤愛子　憤怒のぬかるみ
佐藤愛子　人生って何なんだ！
佐藤愛子　死ぬための生き方
佐藤愛子　娘と私と娘のムスメ
佐藤愛子　戦いやまず日は西に
佐藤愛子　結構なファミリー
佐藤愛子　風の行方(上)(下)
佐藤愛子　こたつの人　自讃ユーモア短篇集一
佐藤愛子　大黒柱の孤独　自讃ユーモア短篇集二
佐藤愛子　不運は面白い　幸福は退屈だ　人間についての断章326
佐藤愛子　老残のたしなみ　日々是上機嫌
佐藤英一　医者も人の子　生と死をみつめて
佐藤英一　医者の心　患者の心
佐藤賢一　ジャガーになった男
佐藤賢一　傭兵ピエール(上)(下)
佐藤賢一　赤目のジャック

佐藤賢一　王妃の離婚
佐藤賢一　カルチェ・ラタン
佐藤正午　永遠の½
佐藤正午　私の犬まで愛してほしい
佐藤正午　夏の情婦
佐藤正午　人参倶楽部
佐藤正午　彼女について知ることのすべて
佐藤正午　バニシングポイント
佐藤正午　カップルズ
佐藤正午　きみは誤解している
佐藤雅美　歴史に学ぶ「執念」の財政改革
佐藤真由美　恋する短歌　22 short love stories
佐野藤右衛門／小田豊二　櫻よ　「花見の作法」から「木のこころ」まで
佐野洋　盗まれた影
沢木耕太郎　天涯1　鳥は舞い　光は流れ
沢木耕太郎　天涯2　水は囁き　月は眠る

沢木耕太郎　天涯3　花は揺れ　闇は輝き
沢木耕太郎　天涯4　砂は誘い　塔は叫ぶ
三宮麻由子　鳥が教えてくれた空
椎名篤子・編　凍りついた瞳《め》が見つめるもの
椎名篤子　家族「外」家族
椎名篤子　親になるほど難しいことはない
椎名誠　地球どこでも不思議旅
椎名誠・選　素敵な活字中毒者
椎名誠　インドでわしも考えた
椎名誠　全日本食えばわかる図鑑
椎名誠　岳物語
椎名誠　続・岳物語
椎名誠　菜の花物語
椎名誠　シベリア追跡
椎名誠　ハーケンと夏みかん
椎名誠　零下59度の旅

集英社文庫

鳥《とり》が教《おし》えてくれた空《そら》

2004年8月25日　第1刷

定価はカバーに表示してあります。

著者　三宮《さんのみや》麻《ま》由《ゆ》子《こ》

発行者　谷山尚義

発行所　株式会社　集英社
東京都千代田区一ツ橋2—5—10
〒101-8050
電話　03（3230）6095（編集）
（3230）6393（販売）
（3230）6080（制作）

印刷　株式会社　廣済堂

製本　株式会社　廣済堂

ISBN4-08-747732-0 C0195